In unseren Veröffentlichungen bemühen wir uns, die Inhalte so zu formulieren, dass sie Frauen und Männern gerecht werden, dass sich beide Geschlechter angesprochen fühlen, wo beide gemeint sind, oder dass ein Geschlecht spezifisch genannt wird. Nicht immer gelingt dies auf eine Weise, dass der Text gut lesbar und leicht verständlich bleibt. In diesen Fällen geben wir der Lesbarkeit und Verständlichkeit des Textes den Vorrang. Dies ist ausdrücklich keine Benachteiligung von Frauen oder Männern.

Impressum

ejw Evangelisches Jugendwerk in Württemberg

buch+musik ejw-service gmbh, Stuttgart
www.ejw-buch.de
ISBN Buch 978-3-86687-282-0
ISBN E-Book 978-3-86687-283-7

Neukirchener Verlagsgesellschaft mbH, Neukirchen-Vluyn
www.neukirchener-verlage.de
ISBN Buch 978-3-7615-6766-1

Lektorat: buch+musik – Tamara Röse, Stuttgart
Umschlaggestaltung: buch+musik – Daniela Buess, Stuttgart
Satzprogrammierung: X1-Publishing, Stuttgart
Satz Downloads: buch+musik – Daniela Buess, Stuttgart
Bildrechte Umschlag, Inhalt, Deckblätter: iStock: antorti, egal, Michael Burrell, Olga Gillmeister, Photobuay, silviacrisman, Tawanna08; Pixabay: AlLes pencil, Efraimstochter, malcolumbus, Pexels, photogrammer7, succo, uroburos; Unsplash: Kevin Lethla
Bildrechte Fotos Inhalt, Deckblätter: Hannah Ilg, Rosemarie Ilg
Autorenfotos: bei den Autorinnen
Druck und Gesamtherstellung: Eberl & Kœsel GmbH & Co. KG, Altusried-Krugzell

Rosemarie Ilg | Kathrin Lichtenberger

KRÜMEL KIRCHE

12 Mini-Gottesdienste
für Klein- und Vorschulkinder bis 6 Jahre

buch+ musik

neukirchener

INHALTSVERZEICHNIS

Vorwort ... 5
Was steckt hinter der Krümelkirche? ... 6
Gottesdienst-Elemente ... 10

Die Arche Noah ... 20
Unter dem Schirm des Höchsten ... 28
Kostbares Wasser – Mose in der Wüste ... 36
Die Hochzeit zu Kana ... 44
Jesus und der Sturm ... 52
Für andere da sein – Der barmherzige Samariter ... 60
Der gute Hirte und das verlorene Schaf ... 68
Jesus geht einen schweren Weg ... 76
Gott ist immer für mich da ... 86
Wir warten – Der erste Adventskranz ... 94
Mit Gott sprechen wie mit einem Freund ... 102
Hörst du die Glocken? ... 110

Die Autorinnen ... 122
Das Krümelteam ... 123

VORWORT

Krümelkirche – ein Gottesdienst für kleine Krümel und Erwachsene, denen das Feiern mit den Kleinsten nicht auf den Keks geht.

Seit 2013 feiern wir unter diesem Motto in der Evangelischen Christuskirchengemeinde Sindelfingen Krümelkirche und schaffen damit ein kindgerechtes, zeitlich überschaubares und regelmäßiges Gottesdienstangebot für Familien. Durch den offenen Beginn mit gemeinsamem Kekse-Krümeln bieten wir die Möglichkeit, miteinander ins Gespräch zu kommen und Bekanntschaft mit anderen Familien zu schließen. Damit wird die Krümelkirche neben einem religiösen auch zu einem wichtigen sozialen Ort in unserer Gemeinde.

Unsere eigene Begeisterung für die Krümelkirche, die zahlreichen Mitfeiernden und die vielen positiven Rückmeldungen über unsere Gemeindegrenzen hinweg haben uns auf den Gedanken gebracht, unser Konzept und unsere bereits erprobten Entwürfe in Form eines Buches mit anderen zu teilen.

Im ersten Teil beschreiben wir deshalb zunächst unsere Konzeption und die Rahmenbedingungen, die sich bei uns über die Jahre der Durchführung hinweg ergeben haben. Im zweiten Teil stellen wir dann zwölf ausgearbeitete Krümelgottesdienste vor. Wir möchten andere Gemeinden motivieren und ihnen Ideen geben, wie Mini-Gottesdienste aussehen können – das Buch ist aber vor allem auch ein Arbeitsbuch, mit dessen Hilfe eigene Ideen aufgebaut und umgesetzt werden sollen.

Ganz herzlich danken wollen wir an dieser Stelle dem gesamten Krümelteam und allen Kindern und Erwachsenen der Krümelkirche, die uns beim Schreiben inspiriert haben. Für die kompetente Begleitung auf dem Weg zum Buch danken wir dem Verlag buch+musik.

Und nun wünschen wir viel Spaß beim Ausprobieren, Verändern, Krümeln und Feiern!

Rosemarie Ilg und Kathrin Lichtenberger

WAS STECKT HINTER DER KRÜMELKIRCHE?

Warum die Krümelkirche?

Selbstverständlich sind Kinder jeden Alters auch in unseren Erwachsenengottesdiensten willkommen! Aber die für sie eingerichtete Spielecke kann kein Ersatz sein für eigens auf Kinder abgestimmte Mini-Gottesdienste, bei denen sie mit allen Sinnen mitfeiern und Gottes Zuwendung erleben können. Deshalb haben wir uns entschlossen, den regelmäßigen Familiengottesdiensten und Kindergottesdiensten ein Angebot für die Allerkleinsten an die Seite zu stellen.

Als Gemeinde lösen wir damit das Versprechen ein, das wir bei jeder Taufe geben: für die Täuflinge und ihre Familien ansprechbare Begleiterinnen und Begleiter im Glauben und in Fragen religiöser Kindererziehung zu sein. Denn für manche Eltern ist die Krümelkirche die erste intensive Begegnung mit Kirche seit ihrer eigenen Konfirmation. Auch die Eltern haben dadurch die Möglichkeit, ihr Taufversprechen einzulösen: Sie bieten ihren Kindern schon in den ersten Lebensjahren die Begegnung mit Geschichten, Liedern und Gebeten. Und ganz nebenbei werden die Eltern im Rahmen eines Mini-Gottesdienstes entlastet in ihrer Sorge, sie könnten mit ihren Kindern im Erwachsenengottesdienst zum Störfaktor für andere werden.

Was ist die Krümelkirche?

Die Krümelkirche besteht aus zwei Teilen: Zuerst haben die Familien eine halbe Stunde lang Zeit, bei Tee, Zitronenwasser und Keksen gemütlich anzukommen und miteinander ins Gespräch zu kommen. Anschließend wird für eine weitere halbe Stunde gemeinsam Gottesdienst gefeiert. Das muntere Kekse-Krümeln zu Beginn und am Ende des Gottesdienstes gehört als wichtiger Teil des Ganzen dazu. Hier begegnen sich Familien, wachsen Beziehungen und werden die Kleinen im Krümelsetting heimisch. Wir als Team achten deshalb darauf, dass wir unsere Vorbereitungen in aller Ruhe abgeschlossen haben, bevor sich die Türen für die Familien öffnen: So haben wir Zeit zum Kennenlernen von Neuen, bekommen mit, wie es unseren Krümelfamilien geht, und starten auch selbst viel entspannter in den Gottesdienst.

Die Krümelkirche besteht aus einer kindgerechten Liturgie, die über mehrere Gottesdienste hinweg gleich bleibt, einer kurzen – meist biblischen – Geschichte und einer kleinen Aktion. Bei jeder Krümelkirche bekommen die Kinder zum Schluss ein kleines Mitgebsel zur Erinnerung – oft entsteht dieses auch bei der Aktion. Für die Erwachsenen gibt es jedes Mal einen Impuls (s. Abschnitt „Impuls für die Erwachsenen“).

Wie oft die Krümelkirche?

Jeden zweiten Monat feiern wir Krümelkirche. Unter den sechs angebotenen Terminen pro Jahr findet auch am Heiligen Abend um 15 Uhr ein Krümelgottesdienst statt, damit den Familien zwischen Gottesdienst und Schlafenszeit der Kinder noch Zeit für die Bescherung bleibt. Üblicherweise findet die Krümelkirche aber am frühen Sonntagabend von 17.00 Uhr bis 17.30 Uhr statt. Zum Kekse-Krümeln laden wir bereits ab 16.30 Uhr ein. Von den Familien bekommen wir die Rückmeldung, dass dieser Zeitpunkt für viele besonders glücklich ist, weil nachmittags Besuche und Unternehmungen Platz haben und nach der Krümelkirche entspannt Zeit ist für Abendrituale in der Familie. Die zwölf Vorschläge in diesem Buch reichen in dieser Taktung also für mehr als zwei Jahre. Beim Krümelweihnachtsgottesdienst, für den wir keinen eigenen Entwurf im Buch aufgenommen haben, empfehlen wir einen kurzen, relativ klassischen Gottesdienst, in dem die Weihnachtsgeschichte – kindgerecht erzählt oder vorgespielt – und bekannte Weihnachtslieder im Zentrum stehen.

Für wen die Krümelkirche?

Zur Krümelkirche sind Kinder von 0 bis 6 Jahren mit ihren Familien eingeladen. Aber auch Geschwisterkinder, die das Krümelalter längst hinter sich gelassen haben, feiern oft noch begeistert mit. Manche besuchen zusätzlich den Kindergottesdienst, zu dem wir ab 4 Jahren einladen. Die Termine von Krümelkirche und Kinderkirche finden deshalb nie am selben Sonntag statt.

Wie grundsätzlich alle Gemeindeangebote ist auch die Krümelkirche inklusiv angelegt. Die elementaren Gestaltungsformen bieten gerade auch Kindern mit geistiger Behinderung einen einfachen Zugang zu den Themen. In unserer Krümelkirche sind Kinder mit besonderen Herausforderungen von Anfang an dabei. Wir machen gute Erfahrungen damit, diese auch noch nach dem Eintritt ins Schulalter einzuladen.

Wo findet die Krümelkirche statt?

Damit der Gottesdienst für Kinder und Eltern stressfrei verläuft, feiern wir im Gemeindesaal, der deutlich überschaubarer ist als unser Kirchenraum. Sofern es der Botschaft der Geschichte dient, nutzen wir aber auch den Garten im Innenhof des Gemeindehauses, den Vorplatz der Kirche oder den Kirchenraum selbst für einzelne Gottesdienste.

In unserem Gemeindesaal befindet sich eine Bühne, die wir mit Hilfe eines von den Kindern gestalteten Tuches und selbstgestalteter Kerzen als Altar vorbereiten. Wenn wir einen anderen Raum für die Feier nutzen, dient ein kleiner Kindertisch als Altar. Da es im Rahmen der Geschichten oft viel zu sehen gibt, haben wir uns entschieden, dafür den Altarschmuck eher bescheiden zu halten und auf Blumen zu verzichten – es sei denn, das Thema legt einen Blumenschmuck nahe. Die Kinder sitzen auf Kinderstühlchen im Halbkreis vor dem Altar; die Eltern in einer Stuhlreihe mit normal großen Stühlen dahinter.

Liturginnen/Liturgen und Erzählerinnen/Erzähler sitzen neben dem Altar mit dem Gesicht zu den Kindern. Im hinteren Bereich des Raumes stehen Getränke und Kekse zum Krümeln bereit. Dort werden manchmal auch die vorbereiteten Aktionen im Lauf der Krümelkirche durchgeführt. Am Ausgang sind bei jedem Krümelgottesdienst zwei Opferdosen mit unserem Krümelkirche-Logo aufgestellt. Die Spenden kommen verschiedenen Gottesdiensten mit Kindern zugute.

Wer arbeitet wie mit bei der Krümelkirche?

Wir sind ein Team aus drei Ehrenamtlichen und der Gemeindepfarrerin. Die Krümelkirche eignet sich auch hervorragend für die Mitarbeit von älteren Kindern und Jugendlichen. Die „großen" Kinder, die bereits in der Schule sind, können sich einbringen, indem sie beispielsweise bei der Bastelaktion unterstützen oder in der Anfangsphase Getränke ausschenken. Auch Konfirmandinnen/Konfirmanden können sehr gut mit kleinen Aufgaben an die Mitarbeit herangeführt werden. (Eine Tabelle zur Aufgabenverteilung in der Krümelkirche findet sich im Downloadbereich.)

Wir treffen uns vier Mal im Jahr, um jeweils ein bis zwei Gottesdienste vorzubereiten. Für jeden Gottesdienst legen wir neu fest, wer welche Aufgaben übernimmt (Musik, Liturgie, Geschichte, Aktionen, Impuls für die Erwachsenen, Vorbereitung von Material, Mitgebsel, Einkäufe für die Krümelphase).

Am Sonntag der Krümelkirche treffen wir uns in der Regel 30 bis 60 Minuten vor Beginn des Kekse-Krümelns, um den Raum zu gestalten und alles vorzubereiten. Der Vorbereitungsaufwand ist je nach Entwurf unterschiedlich. Das Aufräumen nach der Krümelkirche dauert ebenfalls ungefähr 30 Minuten.

Wie wird geworben für die Krümelkirche?

Wir werben das ganze Jahr über mit Flyern und DIN-A4-Plakaten in der eigenen Gemeinde, aber auch auf Ebene der Gesamtkirchengemeinde in den anderen Kirchengemeinden und vorrangig in Kindergärten, die im Gemeindegebiet liegen. Bei Taufgesprächen in der Gemeinde und an neu Zugezogene wird auch immer ein Flyer überreicht. Auf einer einfach gehaltenen Homepage (www.kruemelkirche.de) haben wir die aktuellen Gottesdiensttermine veröffentlicht. Außerdem besteht das Angebot, sich in einen speziellen Krümelkirche-E-Mail-Verteiler aufnehmen zu lassen und dadurch eine Woche vor dem nächsten anstehenden Termin eine Erinnerungs-E-Mail zu erhalten.

Tipp: Ist eine Kirchengemeinde Träger eines Kindergartens, kann das Krümelteam dort jährlich beim Elternabend die Krümelkirche vorstellen und Einladungen/Flyer verteilen.

Mit der Krümelkirche durchs (Kirchen-)Jahr

Viele Gottesdienstentwürfe in diesem Buch sind an keine bestimmte Jahreszeit gebunden. Damit sind sie flexibel einsetzbar. Einige Entwürfe passen jedoch zu bestimmten Festkreisen des Kirchenjahres besonders gut – oder auch zu bestimmten Jahreszeiten:

Titel	**Jahreszeit**
Unter dem Schirm des Höchsten	Herbst
Kostbares Wasser – Mose in der Wüste	Sommer
Jesus geht einen schweren Weg	Frühjahr / Passionszeit, Osterzeit
Gott ist immer für mich da	Herbst / November, Ewigkeitssonntag
Wir warten – Der erste Adventskranz	Winter / Adventszeit
Hörst du die Glocken?	Herbst

GOTTESDIENST-ELEMENTE

Liturgie

Wer mit Kindern arbeitet oder selbst Kinder hat, weiß, wie wichtig Beständigkeit und Rituale sind. Das gibt Kindern Sicherheit und Geborgenheit und schafft einen verlässlichen Rahmen für ein gemeinsames Miteinander. Daher folgt die Krümelkirche einer festen Liturgie. So singen wir in jeder Krümelkirche die gleichen Lieder und beten die gleichen Gebete. Außerdem beginnen wir immer mit dem Anschlagen der Klangschale, was den Beginn des Gottesdienstes und das Ende der Krümelphase signalisiert, und beginnen und enden mit dem Lauschen auf ein Musikstück.

Trotzdem kann an manchen Punkten einer Liturgie nach einer gewissen Zeit der Wunsch nach Veränderung aufkommen – weil ein Gebet nicht ganz so ideal scheint in Handlung und Ablauf oder weil eine Mitarbeiterin / ein Mitarbeiter vielleicht einen schönen, neuen Segen entdeckt hat, der gut in den Gottesdienst passen würde. Veränderungen in der Liturgie sollen und dürfen sein, sie beleben den Gottesdienst. Wichtig dabei ist, dass nicht zu viele Veränderungen auf einmal vorgenommen werden, damit der Wiedererkennungseffekt bei den Kindern möglichst groß bleibt und die Vertrautheit mit den Abläufen auch. (Ein Planungsraster für den Krümelgottesdienst findet sich im Downloadbereich.)

Musikalische Umrahmung

Zu einem Gottesdienst gehört Musik am Anfang und am Ende, auch bei der Krümelkirche. Mit der Klangschale werden die Kinder und Erwachsenen zum Gottesdienstbeginn gerufen: Das gemeinsame Krümeln endet und die Sitzplätze werden eingenommen. Die Instrumentalmusik zur Einstimmung führt die Kinder zur Ruhe. Sie kann je nach örtlichen Möglichkeiten mit Klavier, Gitarre oder anderen Instrumenten gestaltet werden – oder auch mit Musik, die über eine Anlage bzw. übers Handy mit einem Verstärker abgespielt wird. Zum Abschluss des Gottesdienstes folgt nach dem Segen nochmals ein solches Instrumentalstück.

Gebete

Kinder sollen in der Krümelkirche erfahren und einüben, wie einfach Beten ist. Dafür sind wiederkehrende Rituale und Bewegungen eine hilfreiche Unterstützung. Daher gehört das Vaterunser zu jeder Krümelkirche fest dazu. Dies ist nicht zuletzt auch eine wichtige Brücke zu anderen Gottesdiensten. Wenn Kinder das Vaterunser in anderen Kontexten, zum Beispiel bei einer Hochzeit, erleben, spüren sie die Verbindung zur Krümelkirche – und können schon in jungen Jahren mitbeten.

Gebet mit Bewegungen

Text	Bewegungen
Wo ich gehe,	Auf der Stelle gehen.
wo ich stehe,	Auf der Stelle stehen.
bist du, lieber Gott,	Mit einer Hand in die Höhe zeigen.
bei mir.	Beide Hände vor der Brust verschränken.
Wenn ich dich auch gar nicht sehe,	Die Hände vor die Augen legen.
weiß ich trotzdem:	Die Hände auf das Herz legen.
Du bist hier! Amen.	Mit beiden Händen vor sich auf den Boden zeigen.

Text und Bewegungen: Eva Tobler-Zeltner. Abdruck mit freundlicher Genehmigung.

Vaterunser mit Bewegungen

Text	Bewegungen
Vater unser im Himmel,	Die Arme nach vorn ausstrecken.
geheiligt werde dein Name,	Die Arme nach oben ausstrecken.
dein Reich komme, dein Wille geschehe,	Die Arme nach oben strecken und ausbreiten.
wie im Himmel	Einen Arm nach oben strecken, den anderen auf Bauchhöhe lassen.
so auf Erden.	Den ersten Arm oben halten, den zweiten nach unten ausstrecken.
Unser tägliches Brot gib uns heute	Die Hände zu einer Schale formen.
und vergib uns unsere Schuld,	Die Arme vor der Brust kreuzen.
wie auch wir vergeben unseren Schuldigern.	Jemandem die Hand reichen.
Und führe uns nicht in Versuchung,	Die Arme abwehrend nach vorn ausstrecken.
sondern erlöse uns von dem Bösen.	Die Arme erleichtert fallen lassen.
Denn dein ist das Reich	Einander bei den Händen fassen, die Arme auf Bauchhöhe halten.
und die Kraft	Die Arme auf Brusthöhe heben.
und die Herrlichkeit	Die Arme über dem Kopf ausstrecken.
in Ewigkeit. Amen.	Die Hände vor dem Bauch falten.

Entnommen aus: Arbeitshilfe Religion Grundschule, 1. Schuljahr. Calwer Verlag, Stuttgart 1993, S. 192. Abdruck mit freundlicher Genehmigung.

Segen

Variante 1

Die Mitarbeiterin / der Mitarbeiter sagt:	**Die Eltern segnen die Kinder durch Gesten:**
Der Herr segne dich	Eine Hand auf die Schulter des Kindes legen.
und behüte dich;	Die andere Hand auf die andere Schulter legen (oder ggf. auf die Schulter eines zweiten Kindes).
der Herr lasse sein Angesicht leuchten über dir und sei dir gnädig;	Mit den Händen einen Schutzschirm über dem Kopf des Kindes / der Kinder andeuten (ohne Berührung).
der Herr erhebe sein Angesicht auf dich	Die Hände auf den Kopf des Kindes / der beiden Kinder legen.
und gebe dir Frieden. Amen.	Die Hände gleiten auf die Schultern und über den Rücken oder die Arme des Kindes / der Kinder.

Variante 2

Die Mitarbeiterin / der Mitarbeiter sagt:	**Die Eltern segnen die Kinder durch Gesten:**
Der Herr segne dich.	Mit beiden geöffneten Händen auf ein Kind zeigen.
Der Herr segne mich.	Mit beiden Händen auf sich selbst zeigen.
Der Herr segne uns.	Arme zu den anderen Kindern nach rechts und links hin ausbreiten.

Variante 3

Die Mitarbeiterin / der Mitarbeiter sagt:	**Die Eltern segnen die Kinder durch Gesten:**
	Alle stehen im Kreis.
Gott halte seine Hände über uns und segne uns.	Die Hände wie ein Dach über den Kopf des Kindes / der Kinder legen.
Gott halte seine Hände vor uns und gehe mit uns.	Die Hände nach vorn ausstrecken.
Gott halte seine Hände um uns herum und behüte uns. Amen.	Die Hände des Kindes / der Kinder fassen.

Variante 4

Die Mitarbeiterin / der Mitarbeiter sagt:	**Die Eltern segnen die Kinder durch Gesten:**
Gott, dein guter Segen	Beide Arme heben und zum Himmel hin empfangend öffnen.
ist wie ein zarter Regen,	Mit den Fingern beider Hände rieselnde Bewegungen von oben nach unten machen.
ist wie ein großes Dach,	Die Hände zu einem Dach über dem Kopf formen.
am Tag	Die Faust der rechten Hand öffnen.
und in der Nacht.	Die rechte Hand flach von der Stirn über das Gesicht nach unten führen.
Gott, dein guter Segen	Beide Arme heben und zum Himmel hin empfangend öffnen.
stärkt mich auf meinen Wegen,	Mit beiden Armen die Muskeln zeigen.
umhüllt mich wie ein Kleid.	Sich selbst umarmen.
Hier, jetzt	Mit den Zeigefingern der Hände auf die Füße deuten.
und allezeit.	Mit beiden Händen über dem Kopf einen großen Bogen zeichnen (beginnend in der Mitte).

Lieder

Für die Krümelkirche haben wir ein kleines DIN-A5-Faltblatt mit allen Liedern, die im Gottesdienst gesungen werden. (Achtung: Auf Lizenzen achten und ggf. Abdruckgenehmigungen einholen!) Bei den Liedern ist die regelmäßige Wiederholung besonders wichtig. Lieder mit Bewegungen werden sehr schnell gelernt und machen den Kindern immer großen Spaß. Trotzdem variieren wir von Zeit zu Zeit die Lieder. In diesem Kapitel listen wir die Lieder auf, die wir in unser Repertoire aufgenommen haben und die wir besonders gern singen. In den einzelnen Mini-Gottesdienst-Entwürfen im zweiten Teil des Buches verweisen wir nur auf die Lieder hier in der Einleitung, da sie sich immer wiederholen.

In dieses Liedblatt, das für jede Krümelkirche das gleiche ist, legen wir einen Einleger, auf dem die abweichenden Gottesdienstelemente abgedruckt sind. In der Regel ist auf der Vorderseite der Impuls für die Erwachsenen (s. Abschnitt „Impuls für die Erwachsenen") und auf der Rückseite das thematische Lied zu finden (s. Abschnitt „Thematische Lieder").

Begrüßungslieder

Beim Begrüßungslied ist es uns besonders wichtig, dass die Namen aller anwesenden Kinder darin vorkommen. Im Idealfall sind die Namen so in das Lied integriert, dass sie in den Strophen mitgesungen werden (s. Beispiele unten). Wo es das Lied nicht hergibt, werden zwischen den einzelnen Strophen einfach immer mehrere Kinder sprechend begrüßt, ohne die Namen zu singen.

Folgende Lieder sind als Begrüßungslieder besonders geeignet:

Er hält die ganze Welt in seiner Hand (Kommt und Singt, Nr. 610): Ab der dritten Strophe des Liedes können die Namen der Kinder eingesetzt werden, z. B.: „Er hält die Greta und Marlene in seiner Hand, er hält den Max und den Wladimir in seiner Hand, er hält Charlotte und Pauline in seiner Hand, er hält uns alle in der Hand."

Ja, Gott hat alle Kinder lieb (Einfach Spitze, Nr. 138; Kommt und singt, Nr. 466): Es wird immer nur eine Strophe gesungen, dazwischen werden die Kinder sprechend begrüßt, z. B.: Strophe 1 wird gesungen, dann wird eine kurze Pause gemacht und die ersten Kinder mit Namen begrüßt: „Hallo Greta, hallo Marlene, hallo Max! Schön, dass ihr da seid!" Dann wird Strophe 2 gesungen usw.

Du hast uns deine Welt geschenkt (Kommt und singt, Nr. 631): Ab der dritten Strophe werden die Namen der Kinder eingefügt, z. B.: „Du hast uns deine Welt geschenkt, die Greta, Marlene. Du hast uns deine Welt geschenkt. Herr, wir danken dir."

Guten Tag, ihr seid willkommen (Kommt und singt, Nr. 191): Wir haben den Text für unsere Krümelkirche im Refrain folgendermaßen umgewandelt: „Guten Tag, ihr seid willkommen! Krümelkirche, jetzt geht's los." In den Folgestrophen können jeweils drei Namen von Kindern eingesetzt werden: „Guten Tag, ihr seid willkommen! Greta, Marlene, Max, hallo!" Bei Namen mit mehr als zwei Silben werden die Namen schneller gesungen, also trotzdem auf zwei Noten verteilt. Wenn in der letzten Strophe noch zwei Kinder übrig sind, heißt es: „Guten Tag, ihr seid willkommen! Kathi, Nele, jetzt geht's los." Wenn in der letzten Strophe nur noch ein Kind übrig ist, kann man singen: „Guten Tag, ihr seid willkommen! Janosch, wir alle, jetzt geht's los!".

Lied zwischen Gebet und Geschichte

Hier kann ein Lied mit Bewegungen zum Einsatz kommen oder auch ein einfaches Lied – je nachdem, was in den Duktus des Gottesdienstes passt.

Gottes Liebe ist so wunderbar (Kommt und singt, Nr. 484)

Es kann entweder die erste Strophe wiederholt oder das ganze Lied gesungen werden. Die weiteren Strophen werden mit denselben Bewegungen gesungen wie die erste Strophe.

Text	**Bewegungen**
Gottes Liebe ist so wunderbar, Gottes Liebe ist so wunderbar, Gottes Liebe ist so wunderbar, so wunderbar groß.	Bei „Gottes Liebe" wird mit beiden Händen in den Himmel gezeigt; bei jedem „wunderbar" wird mit beiden Händen über dem Kopf ein großer Bogen gezeichnet (beginnend in der Mitte). Alternativ kann bei „wunderbar" drei Mal in die Hände geklatscht werden.
So hoch, was kann höher sein?	Sich so weit wie möglich nach oben strecken und mit der rechten Hand die Größe andeuten.
So tief, was kann tiefer sein?	In die Hocke gehen und mit der rechten Hand die Tiefe andeuten.
So weit, was kann weiter sein?	Beide Arme weit nach links und rechts ausstrecken.
So wunderbar groß!	Mit beiden Händen über dem Kopf einen großen Bogen zeichnen (beginnend in der Mitte).

Weitere tolle Lieder mit und ohne Bewegungen für Kinder

- Einfach spitze, dass du da bist (Einfach Spitze, Nr. 1; Kommt und singt, Nr. 193)
- Wenn einer sagt, ich mag dich (Kindermutmachlied) (Kommt und singt, Nr. 470)
- Volltreffer (Einfach Spitze, Nr. 26)
- Gott mag Kinder (Einfach Spitze, Nr. 147)

Thematische Lieder

Jeder Gottesdienst hat ein eigenes thematisches Lied. Das wird jeweils passend zum Thema ausgesucht und auf der Rückseite des DIN-A5-Einlegers des Liedblatts abgedruckt. Die thematischen Lieder finden sich jeweils direkt beim Gottesdienstentwurf.

Segenslieder

Ein Segenslied bildet am Ende des Krümelgottesdienstes den Übergang vom Gottesdienst in den Alltag. Es klingt innerlich noch nach, wenn man gemeinsam die letzten Kekse isst und plaudert, und diese guten Worte begleiten die Familien auf dem Weg nach Hause und in den Alltag der neuen Woche. Neben dem gesprochenen Segen ist ein gesungener Segenswunsch eine besondere Vertiefung. Auch hier sind die Lieder mit Bewegungen von eigener Intensität und prägen sich besser ein.

Vom Anfang bis zum Ende (Einfach Spitze, Nr. 14; Kommt und singt, Nr. 196)

Text	Bewegungen
Vom Anfang bis zum Ende	Bei „Vom Anfang“ beide Arme links vor dem Körper auf Brusthöhe mit den Handflächen zusammenführen; dann zeichnet bei „bis zum Ende“ die rechte Hand einen Bogen über dem Kopf (und die linke Hand bleibt links), bis man mit ausgebreiteten Armen da steht.
hält Gott seine Hände	Beide Handflächen zur einer Schale geöffnet vor den Oberkörper halten.
über mir	Die Hände segnend über den eigenen Kopf halten.
und über dir.	Die Hände segnend über den Kopf einer nebenstehenden Person halten.
Ja, er hat es versprochen,	Die Hände halten sich vor der Brust fest, als würden sie sich gegenseitig die Hand schütteln.
hat nie sein Wort gebrochen.	Mit dem Zeigefinger in verneinender Geste wedeln.
Glaube mir:	Mit dem Zeigefinger nach oben zeigen.
Ich bin bei dir!	Nacheinander auf die Personen im Raum zeigen.
Immer und überall, (2x)	Bei „immer“ umkreisen sich die Unterarme vor der Brust, bei „überall“ werden sie von der Mitte nach außen hin ausgebreitet.
immer bin ich da!	Bei „immer“ umkreisen sich die Unterarme vor der Brust, bei „da“ weisen beide Zeigefinger nach unten.

Guter Gott, danke schön (Kommt und singt, Nr. 578)

Text	**Bewegungen**
Guter Gott,	Mit der rechten Hand zum Himmel weisen.
danke schön,	Jemandem fiktiv in der Luft die rechte Hand reichen.
wenn wir jetzt nach Hause gehen.	Gehbewegungen auf der Stelle machen.
Du bist bei uns jeden Tag,	Bei „du" mit der rechten Hand zum Himmel weisen, bei „bei uns" eine Hand auf die Brust legen.
was auch kommen mag.	Schultern fragend hochziehen und fragend schauen, rechte und linke Hand dabei fragend öffnen.
Refrain	
Fröhlich gehe ich,	Fröhlich Gehbewegungen auf der Stelle machen.
denn der Herr	Mit der rechten Hand zum Himmel weisen.
segnet mich.	Mit beiden Händen ein segnendes Dach über dem eigenen Kopf formen.
Fröhlich gehe ich,	Fröhlich Gehbewegungen auf der Stelle machen.
er begleitet mich.	Bei „er begleitet" beide Hände ineinander verhaken, bei „mich" die rechte Hand auf die Brust legen.

Halte zu mir, guter Gott (Kommt und singt, Nr. 456)

Text	**Bewegungen**
Halte zu mir, guter Gott,	Die rechte Hand weist in den Himmel.
heut den ganzen Tag.	Die rechte Hand zeichnet einen Bogen über dem Kopf, von links nach rechts.
Halt die Hände über mich,	Beide Hände bilden ein Dach über dem eigenen Kopf.
was auch kommen mag.	Die Schultern werden fragend hochgezogen, dabei öffnen sich rechte und linke Hand fragend.

Geschichte, Aktion und Mitgebsel

In jeder Krümelkirche wird kindgerecht eine Geschichte erzählt: Mal helfen dabei Handpuppen, manchmal kommen kleine Figuren oder Püppchen zum Einsatz, der Kreativität sind hier keine Grenzen gesetzt. Ziel ist es, den Kindern einen biblischen Inhalt verständlich nahezubringen. Um die Geschichte zu vertiefen, gibt es immer noch eine Aktion, in der gebastelt oder gespielt wird. Wird in der Aktion gebastelt, ist das in den meisten Fällen gleichzeitig auch das Mitgebsel am Ende des Gottesdienstes. Ziel des Mitgebsel ist es, den Kindern etwas nach Hause mitzugeben, was sie an den Gottesdienst und seinen Kerngedanken erinnert.

Impuls für die Erwachsenen

Für die Erwachsenen wird dem Liedblatt jedes Mal ein Text beigelegt, der zum Mitnehmen gedacht ist und dazu einlädt, sich mit dem Kerngedanken des Gottesdienstes zu befassen – in Momenten, in denen die Kinder sich selbstständig am Gottesdienst beteiligen oder auch zu Hause. Die kurzen, knackigen Impulse sind sowohl im Buch am Ende der Gottesdienstabläufe abgedruckt, als auch im Downloadbereich zum einfachen Downloaden und Ausdrucken enthalten.

Downloads zu diesem Buch

Unter download.ejw-verlag.de (buch+musik) sowie unter www.neukirchener-verlage.de/kruemelkirche (Neukirchener Verlagsgesellschaft) können die in diesem Buch enthaltenen Impulse für die Erwachsenen und zusätzliche Druckvorlagen als digitale Daten heruntergeladen werden. Der Kauf des Buches berechtigt zum Downloaden, Ausdrucken, Kopieren und Verwenden dieser Daten, sofern sie zur Vorbereitung und Durchführung der Inhalte dieses Buches verwendet werden. Eine Vervielfältigung, Verwendung oder Weitergabe darüber hinaus ist ohne Erlaubnis ausdrücklich nicht gestattet.

DIE ARCHE NOAH

DIE ARCHE NOAH

Überblick

Bibelstelle: 1. Mose 6,5 – 8,22 (in Auszügen)

Kurzbeschreibung: Die Geschichte von Noah und der Arche wird mit Beteiligung der Kinder erzählt – wenn möglich sogar im Freien. Im Zentrum der Erzählung steht der Regenbogen und das damit verbundene Versprechen Gottes: „Ich will nie mehr die Erde vernichten."
Da ganz unterschiedliche Sinne bei der Erzählung angesprochen werden und auch die Mitmach-Aktion keine besondere Geschicklichkeit erfordert, sondern sogar die Kleinsten einschließt, ist der Gottesdienst für alle Altersgruppen geeignet.

Materialaufwand: mittel

Vorbereitung: hoher Aufwand

Aufgaben: je 1 Person für Musik, Liturgie, Geschichte; 2 Personen für die Bastelaktion

Material Geschichte: Picknickdecken (1 Decke für 5 – 6 Kinder), sofern der Gottesdienst im Freien stattfindet; 5 Figuren (Noah, seine Frau und seine drei Söhne); Holzbausteine/-klötze, länglich, für die Arche Noah; Tiere (paarweise), inkl. Taube; 1 grünes Tuch (Wiese); 4 – 5 blaue Tücher (Wasser); 1 DIN-A4-Regenbogen aus Tonpapier (alternativ: ein Regenbogentuch)

Material Aktion: 2 weiße DIN-A2-Plakate; Klebeband; 5 Fingerfarben in den Farben Rot, Gelb, Grün, Blau und Violett; Unterlagen für die 5 Teile des Regenbogens (z. B. 5 große blaue Müllsäcke oder Malerfolie); 2 Eimer mit Wasser zum Händewaschen;
alte Handtücher; evtl. Feuchttücher; Mülleimer (für benutzte Feuchttücher); einige Malerkittel oder alte T-Shirts;
ggf. Basteltische

Material Mitgebsel: 1 Ausmalbild zur Geschichte je Kind (Druckvorlage s. Downloads)

Thematisches Lied: Ein bunter Regenbogen (Menschenskinderlieder, Nr. 67)

Vorbereitung

- Vor dem Gottesdienst muss die Regenbogen-Bastelaktion vorbereitet werden. Dazu werden die DIN-A2-Plakate hinten mit Klebeband an den schmalen Seiten zusammengeklebt zu einem sehr breiten Rechteck. Dann wird auf diesem Rechteck ein Regenbogen skizziert, bestehend aus fünf Streifen. Diese werden auseinandergeschnitten zum Gottesdienst mitgebracht. Während der Aktion können die Kinder auf diesen Streifen farbige Handabdrücke machen. Fügt man die Streifen aneinander, entsteht ein großer, bunter Regenbogen.
- In diesem Gottesdienst werden einige Materialien benötigt, sowohl bei der Geschichte als auch bei der Aktion (s. oben). Für die Aktion selbst, die Gestaltung des Regenbogens, wäre es gut, einen separaten Bereich zu haben, z. B. ein Foyer, einen Jugendraum oder auch einen Innenhof. Hier können schon vor dem Gottesdienst die Materialien bereitgestellt werden. Wenn das alles erst im Gottesdienst geschieht, sind mehr helfende Hände nötig und auch mehr Zeit.
- Da bei der Aktion ein großer Regenbogen aus Kinderhänden entsteht, der ein Wandbild für das Gemeindehaus werden soll, bedeutet das insgesamt einen gewissen Aufwand: Neben der Zeit für die Vorbereitung und das Basteln im Gottesdienst gilt es, den Regenbogen trocknen zu lassen, zusammenzukleben und letztlich auch aufzuhängen.
- Findet der Gottesdienst im Freien statt, sind vor dem Gottesdienst die Picknickdecken als Sitzunterlagen auszulegen.
- Bei Bedarf müssen die Basteltische aufgebaut werden, außerdem muss das Material für die Aktion bereitgestellt werden.
- Als Vorbereitungszeit vor der Krümelphase sind somit 45 – 60 Minuten zu empfehlen.

Gottesdienstablauf

Klangschale und Begrüßung: „Herzlich willkommen euch allen zu unserem Krümelgottesdienst mit dem Thema ‚Arche Noah'. Das ist eine spannende Geschichte aus der Bibel, in der viele Tiere vorkommen und ganz viel Wasser. Ihr dürft gespannt sein, was euch heute erwartet. Zu Beginn hören wir gemeinsam auf die Musik."

Musik und Eingangswort: „Wir feiern Gottesdienst und mit uns feiert Gott, der Vater (erste Kerze anzünden) und der Sohn (zweite Kerze anzünden) und der Heilige Geist (dritte Kerze anzünden). Amen."

Begrüßungslied: Siehe Abschnitt „Begrüßungslieder".

Gebet mit Bewegungen: Siehe Abschnitt „Gebet mit Bewegungen".

Lied mit Bewegungen: Siehe Abschnitt „Lied zwischen Gebet und Geschichte".

Geschichte: An einigen Punkten in der Geschichte dürfen die Kinder aktiv werden und mitspielen. Zu Beginn der Geschichte liegt auf dem Boden ein grünes Tuch. Am Rand des Tuches liegen Holzklötze. Auf dem Tuch stehen Noah, seine Frau und seine drei Söhne, etwas weiter weg, am Rand des Tuches, stehen viele Tiere.

„Unsere Geschichte heute ist eine sehr, sehr alte Geschichte. Sie steht auf den ersten Seiten der Bibel. Und sie erzählt von den Menschen, die damals auf der Erde gelebt haben. Gott ärgert sich über diese Menschen, so erzählt die Bibel. Weil sie böse sind und machen, was sie wollen. Weil sie lügen und schlecht miteinander umgehen, streiten und klauen. Weil sich die Menschen gegenseitig schlagen und oft nicht mehr miteinander klarkommen. Nur einer unter diesen Menschen ist anders. Er fragt nach Gott. Er will mit seiner Familie so leben, wie Gott es will. Und dieser Mann heißt Noah. (Die Erzählerin / der Erzähler nimmt die Noah-Figur und zeigt sie in die Runde.)

Gott sagt eines Tages zu Noah: ‚Rufe deine Familie zusammen, deine Frau und deine kräftigen Söhne. Sucht euch Holz und baut ein großes Haus, das schwimmen kann, ein großes Schiff, eine Arche! Ich werde nämlich bald ganz viel Regen schicken, so viel, dass alles überflutet wird und es kein Leben mehr auf der Erde geben wird, nur noch Wasser.' Und Noah ruft seine Söhne zusammen und gemeinsam schleppen sie Holz her und beginnen das große Schiff, die Arche, zu bauen. (Noahs Söhne kommen zu Noah. Sie beginnen, Holzklötze in die Mitte zu tragen. Die Kinder werden dazu aufgefordert, mitzuhelfen.) Und Noah und seine Familie bauen diese Arche. Sie tragen Holz herbei, hämmern und nageln. (Während die Kinder die Holzklötze herbeiholen, baut die Erzählerin / der Erzähler aus den Hölzern einen Schiffskörper.) Bretter werden befestigt und jede Ritze wird mit schwarzem Pech abgedichtet. Das große Schiff hat nur eine große Tür an der Seite – und am Dach eine kleine Luke, ein kleines Fenster. Und so entsteht nach vielen Tagen ein riesiger Kasten aus Holz. Die Arche ist fertig.

Da sagt Gott zu Noah: ‚Geh in die Arche, du, deine Frau und die ganze Familie! Und nimm Tiere mit, von jeder Tierart zwei, immer ein Männchen und ein Weibchen!' Und Noah tut, was Gott ihm sagt. (Die Erzählerin / der Erzähler fordert die Kinder auf, sich ein Tier zu nehmen. Jedes Kind soll die passende Partnerin / den passenden Partner zu seinem Tier finden. Und dann sollen sie losmarschieren, immer zu zweit. Und so befüllen die Kinder die Arche mit den Tieren. Hier muss man den Ablauf ein wenig koordinieren. Es ist hilfreich, wenn mindestens noch eine Mitarbeiterin / ein Mitarbeiter unterstützt. Beim Spiel ist darauf zu achten, dass die Arche nicht „einstürzt".) Und die Tiere kommen alle, immer zwei und zwei. Eine ganz lange Schlange bildet sich vor dem Eingang der Arche. Alle wollen sie mit: Kamele, Pferde, Ziegen, Schweine, Hasen ... (Am besten nur die Tiere nennen, die auch bei der Erzählung als Spieltiere dabei sind.)

Als endlich alle in dem riesigen Schiff, dieser Arche, drin sind, macht Gott die Tür fest zu. (Mehrere Holzklötze vor den Eingang der Arche legen und sie so verschließen.) Und es kommt genauso, wie Gott es Noah gesagt hat: Es beginnt zu regnen. Und es regnet ... und regnet ... und regnet. (Die Erzählerin / der Erzähler klopft mit den Fingerspitzen auf den Boden und ahmt so die Regentropfen nach. Die Kinder werden aufgefordert, mitzumachen.) Es regnet Tag und Nacht. Es gießt in Strömen. Das Land geht unter, Wiesen und Büsche sind nicht mehr zu sehen, irgendwann verschwinden die Bäume und dann auch die Berge. (Die Erzählerin / der Erzähler legt mehrere blaue Tücher über das grüne Tuch und stapelt sie übereinander.) Was bleibt, ist Noahs große Arche. Sie schwimmt auf dem Wasser. Und in ihr sind Noahs Familie und ganz viele Tiere.

Vierzig Tage und Nächte regnet es. Das ist ziemlich lange. Und dann endlich hört der Regen auf. Noah ist erleichtert. Doch er muss noch warten. Denn das viele Wasser muss erst noch abfließen und trocknen. Und das braucht Zeit. Und viel Geduld. Glaubt mir, nicht nur Noah und seine Familie wollen endlich wieder aus der Arche hinaus – auch die Tiere wollen raus, über Steine hüpfen und über die Wiesen springen. Aber sie alle müssen noch warten.

Nach einiger Zeit lässt Noah eine Taube aus dem Dachfenster fliegen. Sie soll umherfliegen und schauen, ob das viele Wasser überall weg ist. (Die Erzählerin / der Erzähler macht Suchbewegungen mit der Hand über den Augen. Sie/er animiert die Kinder dazu, es nachzumachen.) Doch die Taube kommt bald wieder zurück. Sie hat nicht einmal einen Baum gefunden, auf dem sie sitzen und sich ausruhen kann. Das Wasser ist noch viel zu hoch. Und so wartet Noah nochmal ein paar Tage. Dann wagt er einen neuen Versuch. Er schickt wieder die Taube los. (Die Erzählerin / der Erzähler macht wieder Suchbewegungen mit der Hand über den Augen. Sie/er animiert wieder die Kinder dazu, es nachzumachen.) Die Taube kommt wieder zurück. Doch dieses Mal ist etwas anders: Sie hat etwas im Schnabel. Einen Zweig von einem Baum. Das ist eine gute Nachricht! Das heißt doch, dass schon die ersten Bäume zum Vorschein kommen und das Wasser weniger geworden ist. Noah beschließt, noch einmal ein paar Tage zu warten. (Von den blauen Tüchern einige wegnehmen.) Und ein drittes Mal schickt er die Taube los. Und die Taube? Sie kommt nicht mehr zurück. Noah weiß jetzt, dass man wieder auf der Erde wohnen kann. Der Taube hat es woanders so sehr gefallen, dass sie nicht mehr zur Arche zurückkommen will. Das ist ein gutes Zeichen! (Die restlichen blauen Tücher entfernen, sodass wieder das grüne Tuch vom Anfang der Geschichte ganz sichtbar ist.) Und so öffnet Noah die große Tür der Arche. (Die Holzklötze vom Eingang der Arche weglegen. Noah und seine Familie zuerst aus der Arche treten lassen. Dann die Kinder bitten, mitzuhelfen. Am Eingang der Arche werden die Tiere von ihnen entgegengenommen und auf der grünen Fläche verteilt.)

Am Himmel ist auf einmal ein wunderschöner Regenbogen zu sehen. Er leuchtet in den Farben Rot und Gelb und Grün und Blau und Violett. Er sieht aus wie ein großes, leuchtendes Band, das Himmel und Erde verbindet. (Den kleinen, gebastelten DIN-A4-Regenbogen hinter der Arche aufstellen.) Und Gott sagt zu Noah: ‚Ich will nie wieder so viel Regen und so eine große Flut über die ganze Erde schicken. Das verspreche ich dir und deiner Familie! Der Regenbogen ist ein Zeichen dafür und soll mich immer daran erinnern, was ich dir hier und jetzt versprochen habe: dass so etwas nie wieder passieren wird. Denn solange es die Erde gibt, soll es immer Sommer und Winter, Tag und Nacht geben. Und jedes Jahr sollen die Menschen säen und ernten, etwas anpflanzen und dann auch essen können. Und die Menschen werden auf der Erde wohnen, denn ich will sie erhalten!'“

Aktion – Einen Regenbogen basteln: Wir wollen jetzt gemeinsam auch einen Regenbogen basteln. Der wird so groß und bunt, dass wir ihn dann hier im Gemeindehaus aufhängen können. Und jede und jeder von euch darf jetzt mithelfen, dem Regenbogen seine Farbe zu geben. Wir haben fünf weiße Bögen vorbereitet, die hier an verschiedenen Stellen ausliegen. Ihr Kinder dürft von Bogen zu Bogen wandern und einen Handabdruck hinterlassen, mal einen roten, mal einen gelben, mal einen grünen, einen blauen und einen violetten.
Wir haben hier einige Malerkittel, die ihr ausleihen könnt. Außerdem stehen Wassereimer, alte Handtücher und Feuchttücher für die Handreinigung bereit. Und nun viel Spaß!

Thematisches Lied: Ein bunter Regenbogen (Menschenskinderlieder, Nr. 67).

Vaterunser mit Bewegungen: Siehe Abschnitt „Vaterunser mit Bewegungen“.

Segen mit Bewegungen: Siehe Abschnitt „Segen“.

Abkündigungen: Nach dem Segen wird auf den nächsten Termin der Krümelkirche hingewiesen – und natürlich bei Bedarf auf weitere Angebote der Gemeinde, die das gesamte Gemeindeleben und besonders Familien mit Kindern betreffen. Außerdem wird abgekündigt, dass wie in jedem Krümelgottesdienst der Einleger im Liedblatt mit nach Hause genommen werden darf und am Ausgang Flyer mit den Krümelterminen ausliegen.

Mitgebsel: „Am Ausgang bekommt ihr noch ein Ausmalbild, das ihr mit nach Hause nehmen dürft.“

Segenslied mit Bewegungen: Siehe Abschnitt „Segenslieder“.

Musik zum Abschluss

Impuls für die Erwachsenen

Gott stellt seinen Regenbogen an den Himmel

Noah bekommt von Gott den Auftrag: „Bau ein großes Schiff, eine Arche, und sammle darin Tiere – von jeder Art ein Männchen und ein Weibchen. Und dann geh mit deiner Familie an Bord. Denn ich kann es nicht mehr ertragen, wie die Menschen miteinander umgehen und wie gottlos sie sich verhalten. Ich werde alle vernichten durch eine riesengroße Flut, eine Sintflut." Ein schrecklicher Gedanke: Gott entwickelt einen solchen Zorn auf die Menschen, dass er sie ausrotten will. Nur Noah und seine Familie sollen überleben. Ein neuer Anfang soll gemacht werden.

Das Besondere an der Geschichte ist aber, dass Gott über seine Entscheidung nachdenkt, dass er im Laufe der Flut beschließt: Ich will nie mehr die Erde verfluchen, weil die Menschen böse sind. Ich weiß, dass Menschen auch schlimme Dinge tun, weil ich ihnen die Freiheit gegeben habe, selbst über ihr Handeln zu bestimmen. Aber ich will sie nie mehr vernichten. „Solange die Erde steht, soll nicht aufhören Saat und Ernte, Frost und Hitze, Sommer und Winter, Tag und Nacht" (1. Mose 8,22 Lu). Was für ein Versprechen! Gott steht zu uns, sogar dann, wenn wir uns von ihm abgewendet haben. Wenn wir nicht leben, wie er es für uns vorgesehen hat. Er bindet sich freiwillig an uns Menschen. Daran soll uns der Regenbogen am Himmel erinnern. Und so wird der Regenbogen zum Hoffnungszeichen – auch in den Lebenszeiten, in denen uns das Wasser bis zum Hals steht.

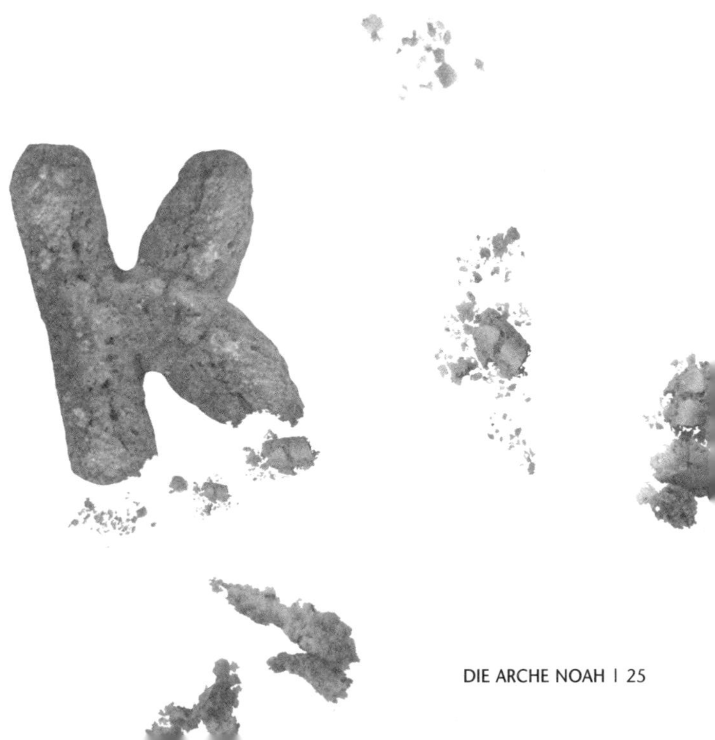

Unter dem Schirm des Höchsten

UNTER DEM SCHIRM DES HÖCHSTEN

Überblick

Bibelstelle: Psalm 91,1-2

Kurzbeschreibung: Das schöne Bild von Gottes schützendem Schirm aus dem Psalmvers wird im Kinderlied „Unter dem Schirm des Höchsten" aufgegriffen. Auf dieser Grundlage lädt der Gottesdienstentwurf ein, das Gefühl des Geborgenseins unter einem Schirm zu erleben. Dazu trägt auch das Handpuppenspiel bei, bei dem ein Rabe und ein Hase erleben, welch guter Schutz ein Schirm sein kann.

Der Entwurf enthält Elemente für alle Altersgruppen. Schon die Kleinsten können mit ihren Eltern erleben, wie es sich anfühlt, unter einem Schirm geborgen zu sein. Für die Größeren sind die Spiele mit dem Schwungtuch ein besonderes Erlebnis.

Materialaufwand: mittel

Vorbereitung: mittlerer Aufwand

Aufgaben: je 1 Person für Musik, Liturgie, Einstieg und Aktion; 3 Personen für die Geschichte (Puppenspiel)

Material Einstieg: Schirme in verschiedenen Größen (Kinderregenschirm, Kinderwagenschirm, Puppenschirm, normal großer Schirm, übergroßer Schirm), 1 großer Sonnenschirm und ein paar Eisschirmchen

Material Geschichte: 2 Handpuppen (Rabe und Hase; geht aber auch mit beliebigen anderen Handpuppen oder auch nur mit einer Handpuppe, die im Zwiegespräch mit einer Mitarbeiterin / einem Mitarbeiter ist), ein paar Kastanien (oder Nüsse), 1 kleines Glas Wasser, 1 Kinderregenschirm

Material Aktion: 1 Schwungtuch

Material Mitgebsel: Eisschirmchen mit Textstreifen „Unter dem Schirm des Höchsten bin ich geborgen" (Druckvorlage und Bastelbeispiel s. Downloads)

Thematisches Lied: Unter dem Schirm des Höchsten (Einfach Spitze, Nr. 112)

Vorbereitung

- Die meiste Vorbereitungszeit in diesem Entwurf besteht im Basteln des Mitgebsels im Vorfeld des Gottesdienstes. Das kann eine Mitarbeiterin / ein Mitarbeiter übernehmen oder ein Kleinteam. Dazu werden einfach Textstreifen mit dem Text „Unter dem Schirm des Höchsten bin ich geborgen“ an kleine Eisschirmchen geklebt (Druckvorlage und Bastelbeispiel s. Downloads).
- Das Organisieren eines großen Schwungtuches kann sich unter Umständen als kompliziert gestalten. Aber vielleicht gibt das auch der eigene Fundus her, ansonsten muss man über das Jugendwerk oder andere Vereine eine Ausleihe anstreben.
- Direkt vor dem Gottesdienst sind neben den üblichen Vorbereitungen noch die Schirme aufzubauen und die Geschichte zu proben. Als Vorbereitungszeit vor der Krümelphase sind somit ca. 20 Minuten zu empfehlen.

Gottesdienstablauf

Klangschale und Begrüßung: „Herzlich willkommen euch allen zu unserem Krümelgottesdienst mit dem Thema ‚Unter dem Schirm des Höchsten‘. Das meint: Wir sind geborgen und beschützt unter Gottes Schirm. Wie das wohl zu verstehen ist? Spannt Gott über uns einen großen Schirm aus, wie einen Regenschirm – und beschützt uns so? Der Schirm ist ein Zeichen für Schutz und Sicherheit. Und dieses Wort kommt aus einem uralten Lied in der Bibel, einem Psalm. Da hat ein Mensch davon gesungen, wie gut es ist, an Gott zu glauben und mit ihm unterwegs zu sein – weil er uns beschützt, so wie uns auch ein Regenschirm bei Regen beschützt. Zu Beginn hören wir gemeinsam auf die Musik.“

Musik und Eingangswort: „Wir feiern Gottesdienst und mit uns feiert Gott, der Vater (erste Kerze anzünden) und der Sohn (zweite Kerze anzünden) und der Heilige Geist (dritte Kerze anzünden). Amen.“

Begrüßungslied: Siehe Abschnitt „Begrüßungslieder“.

Gebet mit Bewegungen: Siehe Abschnitt „Gebet mit Bewegungen“.

Einstieg: „Bestimmt habt ihr alle schon gesehen, was hier vorn Besonderes aufgebaut ist.“ (Verweis auf die verschieden großen Schirme, die im vorderen Bereich rund um den Altar dekorativ aufgestellt sind.) Ich zeige euch jetzt einmal, wie viele verschiedene tolle Schirme wir heute hier haben. Da ist zum Beispiel ein kleiner Schirm, wahrscheinlich ein Kinderregenschirm. Dann haben wir da noch einen großen Schirm, wohl eher ein Erwachsenenschirm. Ja, und da ist noch mal so ein großer Schirm. Und hier, das ist ja der Hammer, das ist ja ein mega großer Schirm! Von einem Riesen? Da passen bestimmt viele Erwachsene darunter. (Die Mitarbeiterin / der Mitarbeiter läuft, während sie/er erzählt, die Schirme entlang, manche spannt sie/er dabei auch erst auf. Die aufgespannten Schirme verteilt sie/er ein wenig im Raum.)

Und jetzt würde ich gern mal etwas mit euch allen ausprobieren, mit den Kleinen und auch mit den Großen, den Erwachsenen. (Es werden verschiedene Fragen/Aufgaben gestellt. Die Kinder – und an bestimmten Stellen auch die Erwachsenen – platzieren sich dabei entsprechend unter den Schirmen.)

- Wie viele Kinder passen unter einen Schirm?
- Wie viele Erwachsene passen unter einen Schirm?
- Probiert einmal aus, wie es sich unter einem kleinen Schirm sitzt und wie unter einem großen!
- Wie fühlt ihr euch unter eurem Schirm?
- Unter welchem Schirm sitzt ihr am liebsten?

Diese Fragen/Aufgaben können noch beliebig durch weitere Fragen ergänzt werden. Da es sich aber um einen kurzen, thematischen Einstieg handelt, sollte dieser Teil nicht zu sehr ausgedehnt werden.

Lied mit Bewegungen: Siehe Abschnitt „Lied zwischen Gebet und Geschichte".

Geschichte: Die Geschichte besteht aus einem Dialog zwischen dem Raben Theo und dem Hasen Felix (zwei Handpuppen), die von zwei Mitarbeitenden gespielt werden.

Theo Rabe:	Huhu! Felix! Feeelixxxx!!! Wo bist du denn schon wieder? Wir wollten doch heute zusammen spielen. (Stille, kein Felix weit und breit) Kinder, sagt mal, habt ihr den Felix gesehen? (fragende Kindergesichter) Ihr wisst gar nicht, wer Felix ist? Oh! Na, dann will ich ihn euch mal beschreiben. Also: Er ist groß, also, naja, jedenfalls größer als ich. Und er hat gaaanz große Ohren. Und glaubt mir, das ist nicht übertrieben! Seine Ohren sind viel größer als eure ... (schaut sich um) Und viel, viel größer als die Ohren von euren Mamas und Papas! Und trotzdem hört er manchmal ziemlich schlecht. Feeeelix!!! Kinder, helft mir mal! Wir rufen jetzt mal alle ganz laut zusammen! (alle rufen ganz laut mit)
Theo Rabe:	Felix! Felix! Feeeelix!!! Da kommt der Hase Felix auch schon, mit einem kleinen, aufgespannten Schirm in der Hand.
Felix Hase:	Was ist denn los, Theo? Was schreist du denn so?
Theo Rabe:	Na, du hast gut reden! Ich hab dich gesucht und nach dir gerufen! Wir wollten doch heute zusammen spielen. Und überhaupt: Wie siehst du denn aus? Warum hast du denn einen Schirm dabei?
Felix Hase:	Also ich finde den Schirm ganz praktisch. Komm mal zu mir, unter den Schirm. (Theo geht mit Felix unter den Schirm.) Na? Merkst du was, Theo? Jetzt sticht die Sonne nicht mehr so. Voll angenehm! Das ist mein Sonnenschirm.
Theo Rabe:	Mensch, Felix, das bringt ja wirklich was, so ein Sonnenschirm!
Felix Hase:	Ja, das find ich auch! Der Schirm beschützt mich super vor den starken Sonnenstrahlen.

Theo Rabe:	Komm, lass uns jetzt spielen und leg den Schirm weg! Eine weitere Mitarbeiterin / ein weiterer Mitarbeiter lässt drei Kastanien/ Nüsse auf den Schirm purzeln. Sie rollen auf den Boden.
Felix Hase:	Holla – was war das denn?
Theo Rabe:	Kastanien, schau mal! (hebt eine Kastanie auf)
Felix Hase:	Stell dir mal vor, wir wären nicht unter dem Schirm gewesen! Dann hätten wir die Dinger direkt auf den Kopf bekommen – autsch! (Theo und Felix kichern)
Theo Rabe:	Ja, gut, dass wir den Schirm haben!
Felix Hase:	Und stell dir erst mal vor, es wären Äpfel gewesen! (beide kichern)
Theo Rabe:	Autsch, autsch! Noch schlimmer! Aber wir haben ja den Schirm. Unter dem Schirm kann uns nichts passieren! Beide sitzen wieder unter dem Schirm. Auf einmal tröpfelt Wasser darüber. Eine Mitarbeiterin / ein Mitarbeiter lässt ein wenig Wasser über den Schirm laufen.
Felix Hase:	Schau mal, Theo, jetzt regnet es auch noch!
Theo Rabe:	Wie gut, dass wir deinen Schirm haben! Die beiden kuscheln sich aneinander.
Felix Hase:	Ja, und das ist wirklich ein megatoller Wunderschirm: Er schützt vor Sonne, vor Regen und sogar vor Sachen, die plötzlich einfach so von Bäumen fallen.
Theo Rabe:	Ja. Ich glaube, das ist fast so wie in der Bibel. Da steht nämlich, dass wir bei Gott beschützt sind wie unter einem Schirm. Er passt auf uns auf!
Felix Hase:	Du meinst, Gott beschützt uns so wie mein Schirm hier?
Theo Rabe:	Ja, genau. Ich glaube, genau das will dieser Vers in der Bibel sagen. Unter dem Schirm Gottes sind wir geborgen. Da sind wir nicht allein.
Felix Hase:	Oh ja, das stelle ich mir echt schön vor! Dass Gott auch so ein Schirm für uns ist, das gefällt mir!
Theo Rabe:	Und wenn ihr alle nachher nach Hause geht, dann denkt dran, dass Gott seinen Schirm über euch aufspannt. Wenn ihr mal traurig seid oder allein oder wenn ihr Angst habt – er ist bei euch. Unter seinem Schirm seid ihr gut aufgehoben und geborgen – ihr alle. Du ... und du ... und du ... (zeigt auf Kinder) und einfach alle hier!

Aktion – Spiele mit dem Schwungtuch: Für diese Aktion benötigt man Platz, je nach Größe des Schwungtuches. Ein Saal im Gemeindehaus kann hier schon ausreichen. Ansonsten kann auch auf ein Foyer, einen Innenhof o. Ä. ausgewichen werden. Die Mitarbeitenden, Kinder und Erwachsenen bilden einen großen Kreis und halten sich am Rand des Schwungtuches an den Schlaufen oder an der Naht fest. Entscheidend für das Gelingen der Spiele ist, dass eine Mitarbeiterin / ein Mitarbeiter laut und klar die Anweisungen und Aufgaben benennt:

- Einschwingen: Alle Kinder und Erwachsenen halten sich an den Schlaufen am Rand des Schwungtuches fest und schwingen gemeinsam in ruhigen Bewegungen hoch und runter.

- Spiel 1: Das Schwungtuch wird wieder gemeinsam hoch und runter geschwungen. Wenn das Schwungtuch nach oben geschwungen wird, nennt die Mitarbeiterin / der Mitarbeiter zwei Namen. Diese Kinder laufen schnell unter dem Schwungtuch durch und tauschen ihre Plätze (evtl. kann auch ein Erwachsener mit dem Kind gemeinsam den Platz tauschen).
- Spiel 2: Das Schwungtuch wird wieder hoch und runter geschwungen. Dabei wird laut dazu gezählt: 1-2-3. Bei „3" ziehen alle ganz schnell das Schwungtuch über sich hinüber und hinter sich hinunter und setzen sich zügig auf den Rand des Tuches. Dadurch entsteht ein Zelt / ein Schirm um alle herum.
- Spiel 3: Zum Abschluss dürfen sich alle Kinder auf den Boden legen (unter das Schwungtuch, das von den Erwachsenen hochgehalten wird). Die Erwachsenen schwingen gemeinsam mit den Mitarbeitenden das Schwungtuch auf und ab, dadurch entsteht ein angenehmer Wind für die Kinder.

Zum gemeinsamen Abschluss geht es wieder zurück an die Sitzplätze.

Thematisches Lied: Unter dem Schirm des Höchsten (Einfach Spitze, Nr. 112).

Vaterunser mit Bewegungen: Siehe Abschnitt „Vaterunser mit Bewegungen".

Segen mit Bewegungen: Siehe Abschnitt „Segen".

Abkündigungen: Nach dem Segen wird auf den nächsten Termin der Krümelkirche hingewiesen – und natürlich bei Bedarf auf weitere Angebote der Gemeinde, die das gesamte Gemeindeleben und besonders Familien mit Kindern betreffen. Außerdem wird abgekündigt, dass wie in jedem Krümelgottesdienst der Einleger im Liedblatt mit nach Hause genommen werden darf und am Ausgang Flyer mit den Krümelterminen ausliegen.

Mitgebsel: „Am Ausgang bekommt jede und jeder von euch heute zum Thema unseres Gottesdienstes ein kleines Schirmchen mit. Da hängt ein Text daran: ‚Unter dem Schirm des Höchsten bin ich geborgen', so wie es auch Thema in unserem Gottesdienst heute war. Gott ist also immer bei uns und beschützt uns, so wie auch ein Regenschirm uns im Regen beschützen kann."

Segenslied mit Bewegungen: Siehe Abschnitt „Segenslieder".

Musik zum Abschluss

Impuls für die Erwachsenen

Geborgen unter dem Schirm des Höchsten

Sonnenschirme auf der Terrasse oder am Kinderwagen, ganz kleine Regenschirme zum Zusammenfalten oder riesengroße für ganze Familien, Schirmchen auf Eisbechern oder in Cocktails – Schirme begleiten uns durch unseren Alltag.

Und schon vor Tausenden von Jahren verwendete der Beter von Psalm 91 dieses anschauliche Bild eines Schirms, um deutlich zu machen, wie wir uns Gottes Schutz vorstellen können. Er sagt (Ps 91,1-2 Lu): „Wer unter dem Schirm des Höchsten sitzt und unter dem Schatten des Allmächtigen bleibt, der spricht zu dem Herrn: Meine Zuversicht und meine Burg, mein Gott, auf den ich hoffe."

Wie der Schirm uns vor Sonne und Regen schützt, so beschirmt uns Gott. Aber wie wir trotz des besten Schirms manchmal im Regen nass werden, so bedeutet auch das Leben unter Gottes Schirm nicht, dass wir keinen Gefahren ausgesetzt wären oder nicht auch manchmal Schaden nähmen. Gott verschont uns nicht vor den Momenten der Sorge. Er verschont uns nicht vor den Stürmen und den Regenschauern unseres Lebens, weil wir Menschen sind und das zu unserem Mensch-Sein dazugehört. Aber er lässt uns in den Unwettern unseres Lebens auch nicht allein. Unter Gottes Schirm sind wir geborgen. Er steht uns bei und gibt uns neue Zuversicht.

KOSTBARES WASSER –

MOSE IN DER WÜSTE

KOSTBARES WASSER – MOSE IN DER WÜSTE

Überblick

Bibelstelle: 2. Mose 17,3-7

Kurzbeschreibung: Dass Wasser Leben ermöglicht und erhält, ist ein Geschenk für uns. Diesen Kerngedanken verfolgt dieser Gottesdienstentwurf. Ganz bewusst wird die zerstörerische Seite des Wassers ausgespart.
Wasser zu spüren und damit zu spielen leitet zur biblischen Geschichte hin. Diese alttestamentliche Wundergeschichte wird von Erwachsenen oft hinterfragt auf ihren Wahrheitsgehalt. Für Kinder stellt sich diese Frage noch nicht, sie können Wunder als selbstverständlichen Teil von Gottes Handeln sehen. Erzählt wird die Geschichte mithilfe eines Sandsackes und Legematerialien, um den Kontrast zwischen Trockenheit und Wasser zu betonen. Die Kinder können im Gottesdienst also Wasser spüren, es plätschern hören, entdecken, wofür es verwendet wird, und eine Erzählung mit Sand und Wasser sehen. Deshalb ist der Entwurf für alle Altersgruppen gut geeignet.

Materialaufwand: mittel

Vorbereitung: mittlerer Aufwand

Aufgaben: je 1 Person für Musik, Liturgie, Aktion 1, Geschichte und Aktion 2

Material Aktion 1: 2 kleine, mit Wasser gefüllte Schraubgläser; 1 Pipette; 1 Blume; 1 Gießkanne; 1 Wasserglas; 1 Wasserflasche; ein paar kleine, mit Wasser gefüllte Luftballons; 1 Wärmflasche; 1 Waschlappen; 1 Schüssel; 1 Zahnbürste; 1 Spülschwamm; mehrere Eiswürfel; 1 Bade-Ente; 1 Wasserspritze (oder 1 Wasserspritz-Tier); 1 Sack (blickdicht), in dem die Gegenstände Platz finden; 1 großes, blaues Tuch für die Ablage der Gegenstände

Material Geschichte: 1 Sandsack (rundes, stabiles Stofftuch mit Sandfüllung; wird bei der Erzählung ausgebreitet), alternativ 1 beiges Tuch; ca. 7 biblische Erzählfiguren (Mose, Aaron, 3 – 4 Kinder, 2 – 3 Erwachsene); 1 graues, stabiles Tuch als Felsen (z. B. ein festes Filztuch); 1 blaues Seidentuch (oder Chiffon-/Jongliertuch) als Quelle; 1 Holzstab

Material Aktion 2: 2 Krüge voll Wasser, 1 Trinkbecher je Kind

Material Mitgebsel: 1 mit Wasser gefüllter, kleiner Luftballon je Kind

Thematisches Lied: Ohne Wasser können wir nicht leben (Kommt und Singt, Nr. 611)

Vorbereitung

- Für diesen Gottesdienst werden in Aktion 1 zwar einige kleine Gegenstände benötigt, diese sind aber in den meisten Haushalten zu finden. Sie werden einfach in den großen, blickdichten Sack gesteckt.
- Die Wasserkrüge und die Becher für die Kinder müssen bereitgestellt werden.
- Die Vorbereitung der Mini-Wasserballons wird vor dem Gottesdienst die meiste Zeit beanspruchen. 20 Minuten sind einzuplanen – schneller geht‘s, wenn zwei Mitarbeitende hier Hand anlegen. Man sollte möglichst darauf achten, dass die Ballons nicht zu prall gefüllt sind. Die Füllaktion erfolgt sinnvollerweise in einem gefliesten Raum oder draußen. Eimer und Putzlappen sollten bereitstehen.
- Als Vorbereitungszeit vor der Krümelphase sind somit ca. 30 Minuten zu empfehlen.

Gottesdienstablauf

Klangschale und Begrüßung: „Herzlich willkommen euch allen zu unserem Krümelgottesdienst, in dem es um Wasser geht. Gerade an so einem warmen/heißen Tag wie heute ist Wasser wichtig: wenn wir Durst haben oder um uns abzukühlen. Wasser ist kostbar und lebenswichtig. Davon erzählt auch die Bibel. Gemeinsam wollen wir uns heute auf den Weg machen und die Bedeutung von Wasser für unser Leben entdecken. Zu Beginn hören wir gemeinsam auf die Musik.“

Musik und Eingangswort: „Wir feiern Gottesdienst und mit uns feiert Gott, der Vater (erste Kerze anzünden) und der Sohn (zweite Kerze anzünden) und der Heilige Geist (dritte Kerze anzünden). Amen.“

Begrüßungslied: Siehe Abschnitt „Begrüßungslieder“.

Gebet mit Bewegungen: Siehe Abschnitt „Gebet mit Bewegungen“.

Lied mit Bewegungen: Siehe Abschnitt „Lied zwischen Gebet und Geschichte“.

Aktion 1 – Gespräch und Spiel

- Erster Impuls: „Wir möchten euch heute etwas ganz Kostbares schenken. Dazu macht ihr mal bitte die Augen zu. Dann geben wir es vorsichtig in eure Hand. Und wer es dann schon weiß und erraten hat, der verrät es den anderen bitte nicht, damit alle raten können". (Eine Mitarbeiterin / ein Mitarbeiter verteilt mit einer Pipette jedem Kind einen Tropfen Wasser in die geöffnete Hand. Bei vielen Kindern kann hier auch mit zwei Mitarbeitenden von zwei Seiten her jeweils ein Tropfen Wasser an die Kinder verteilt werden.)
- Zweiter Impuls: „Wasser ist ganz kostbar. Wisst ihr auch, warum?" (Die Kinder tragen Beispiele zusammen, wo man Wasser braucht und wo es wichtig ist.)
- Dritter Impuls: „Wir haben hier in einem Sack ein paar Sachen versteckt. Jedes Kind, das möchte, darf mit der Hand hineingreifen und etwas herausholen und allen zeigen. Alle Sachen haben mit Wasser zu tun. Lasst uns gemeinsam auf Entdeckungsreise gehen!" (Eine Mitarbeiterin / ein Mitarbeiter hält den Sack hin und lässt die Kinder nach und nach hineingreifen. Es kommen lauter Dinge zum Vorschein, die mit Wasser zu tun haben. Die Kinder dürfen sagen, was man damit machen kann und es dann auf einem blauen Tuch in der Mitte ablegen.)

Thematisches Lied: Ohne Wasser können wir nicht leben (Kommt und Singt, Nr. 611)

Geschichte: Eine Mitarbeiterin / ein Mitarbeiter breitet den Sack aus, und stellt die Figuren Mose, Aaron, etliche Menschen und Kinder mit der gleichen Blickrichtung auf.

„Seit vielen Monaten ist Mose mit seiner Familie und seinen Freunden in der Wüste. Sie wollen in ein besonderes Land. Ein Land, in dem sie in Frieden leben können. Aber der Weg führt nur durch die Wüste. (Mit der Hand durch den Sand streichen.) Dort ist es total trocken. Nur wenige Pflanzen können wachsen. Nur an wenigen Stellen gibt es Wasser. Nachts ist es sehr kalt. Und am Tag ist es furchtbar heiß. Überall sind nur Sand und Felsen. (Das große, feste Tuch am Rand als Fels aufstellen. Dieser wird später noch benötigt, wenn Mose mit dem Stab den Felsen berührt.) ‚Ich hab so großen Durst!', ruft ein Kind. ‚Ich auch!', sagt ein anderes. ‚Und ich erst!' ‚Auch ich hab Durst!' ‚Ich will etwas trinken!' ‚Auch unsere Tiere verdursten bald!'

Alle sind durstig. Kinder und Erwachsene. Und alle sind unzufrieden. (Die Arme von einigen Figuren nach oben biegen, um zu zeigen, dass sie wütend sind; Mose und Aaron den anderen gegenüberstellen.) ‚Mose, warum hast du uns in die Wüste gebracht? Hier werden wir sterben ohne Wasser', rufen sie. Doch Mose versucht sie zu trösten: ‚Wir sind doch auf dem Weg in ein besonderes Land. Ein Land, in dem wir in Frieden leben können. Wir werden nicht in der Wüste bleiben. Aber wir müssen durch die Wüste hindurchgehen. Wir schaffen das, denn Gott geht mit uns!'

Aber die Menschen schimpfen immer mehr: ‚Ich hab so großen Durst!' ‚Ich auch!' ‚Und ich erst!' ‚Auch ich hab Durst!' ‚Ich will etwas trinken!' ‚Und unsere Tiere verdursten bald!'

‚Mose, warum hast du uns in die Wüste gebracht? Hier werden wir sterben ohne Wasser.‘ Mose weiß nicht mehr weiter. Auch sein Bruder Aaron kann ihm nicht helfen. Beide gehen gemeinsam ein Stück weg. Sie wollen allein mit Gott reden. Sie brauchen seine Hilfe. (Mose- und Aaron-Figuren ein Stück abseits der anderen Figuren stellen.) Und Gott weiß schon, wie er helfen kann. Er sagt: ‚Mose, Aaron, bringt eure Familie und alle Freunde dort zu dem Felsen. Und nimm diesen großen Stab mit, Mose! Ich werde dir helfen. Bald habt ihr wieder genug zu trinken.‘ (Den Stab in die Moses Hand geben.)

Mose und sein Bruder holen ihre Familie und ihre Freunde und gehen zum Felsen. Sie sind gespannt, was passieren wird. (Figuren mit Blick zum Felsen stellen, Arme gesenkt.) Mose nimmt den Stab, wie es Gott gesagt hat. Und sein Bruder sagt: ‚Schaut, was Gott für euch tut!‘ (Mose mit erhobenem Stab zum Felsen stellen.) Da hebt Mose den Stab hoch. Er schlägt zweimal mit dem Stab an den Felsen. Die Menschen staunen. Sie sagen: ‚Was ist da denn passiert? Da kommt tatsächlich Wasser aus dem Felsen! Wasser! Wir haben wieder etwas zu trinken! Und unsere Tiere auch!‘ Und alle können ihren Durst stillen.

Gott lässt niemanden verdursten in der Wüste seines Lebens. Alle haben genug zu trinken. Denn Gott sorgt für sie.“

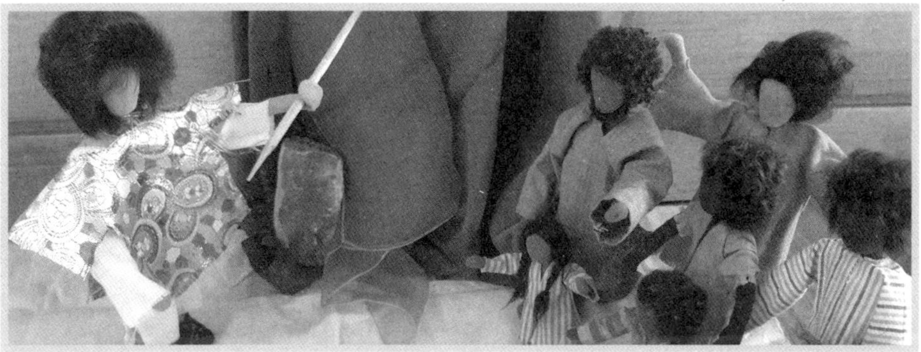

Aktion 2 – Wasser trinken: „Nachdem jetzt so viel über Wasser gesprochen wurde, sind manche vielleicht durstig geworden. Wer mag, kann sich hier vorn einen Becher mit Wasser holen.“

Thematisches Lied: Ohne Wasser können wir nicht leben (Kommt und Singt, Nr. 611). Das Lied wird bewusst wiederholt, es ist kurz und dient als Rahmung der Geschichte. Außerdem prägt es sich so auch besser ein. Liturgisch betrachtet wäre das Vaterunser gleich im Anschluss an die Geschichte außerdem nicht ideal platziert.

Vaterunser mit Bewegungen: Siehe Abschnitt „Vaterunser mit Bewegungen“.

Segen mit Bewegungen: Siehe Abschnitt „Segen“.

Abkündigungen: Nach dem Segen wird auf den nächsten Termin der Krümelkirche hingewiesen – und natürlich bei Bedarf auf weitere Angebote der Gemeinde, die das gesamte Gemeindeleben und besonders Familien mit Kindern betreffen. Außerdem wird abgekündigt, dass wie in jedem Krümelgottesdienst der Einleger im Liedblatt mit nach Hause genommen werden darf und am Ausgang Flyer mit den Krümelterminen ausliegen.

Mitgebsel: „Am Ausgang bekommt jede und jeder von euch heute zum Thema unseres Gottesdienstes ein kleines Wassergeschenk mit, einen kleinen Wasserballon. Mal schauen, bei wem von euch er heil zu Hause ankommt!"

Segenslied mit Bewegungen: Siehe Abschnitt „Segenslieder".

Musik zum Abschluss

Impuls für die Erwachsenen

Wasser schenkt Leben

Wasser – von morgens bis abends. Wasser, um Tee zu machen und Kaffee, Wasser, um Wäsche zu waschen und Nudeln zu kochen. Wasser zum Zähneputzen, Händewaschen und auf der Toilette. Wasser zum Gurgeln, Rasenwässern und Blumengießen. Wasser zum Planschen – und Wasser einfach nur zum Trinken. Wasser von morgens bis abends – und nicht wegzudenken aus unserem Alltag. Wasser – eine Selbstverständlichkeit? Für uns in Deutschland vielleicht ja, aber für viele Menschen weltweit ist Wasser eine Kostbarkeit! Wie mag es wohl Menschen und besonders Kindern gehen, wenn das Wasser knapp wird, wenn jeder Tropfen zählt und Durst den Alltag bestimmt? Wenn es ums Überleben geht? Das können wir nur erahnen.

Dem Volk Israel ging das so, den Erwachsenen wie den Kindern. Davon erzählt die Geschichte aus 2. Mose 17. Das Volk ist in der Wüste unterwegs, die Sonne brennt gnadenlos vom Himmel herab und alle haben Durst. Die Israeliten kommen an ihre Grenzen und richten ihre Wut und Angst gegen Mose. Doch wo soll er einfach so Wasser herbekommen? Mose leitet die Not seines Volkes weiter an Gott. Wenn einer helfen kann, dann er. Schließlich hat er sie ja auch hierher geführt, in die Wüste und Trockenheit. Sie müssen durch die Wüste gehen – bleiben aber nicht in der Wüste. Weil ein Wunder geschieht. Weil Gott eingreift: Eine Wasserquelle tut sich aus einem Felsen auf. Und alle können ihren Durst stillen und machen die Erfahrung: Wasser schenkt Leben, ja, Gott schenkt Leben! Im Neuen Testament wird dieser Gedanke noch fortgeführt in der Geschichte von Jesus und der Samariterin am Brunnen (Joh 4). Hier geht es um die Frage nach der Quelle des wahren, lebendigen Wassers: Gott. Und dieses lebendige Wasser stillt nicht nur unseren Durst, sondern auch unsere Sehnsucht nach einem erfüllten Leben.

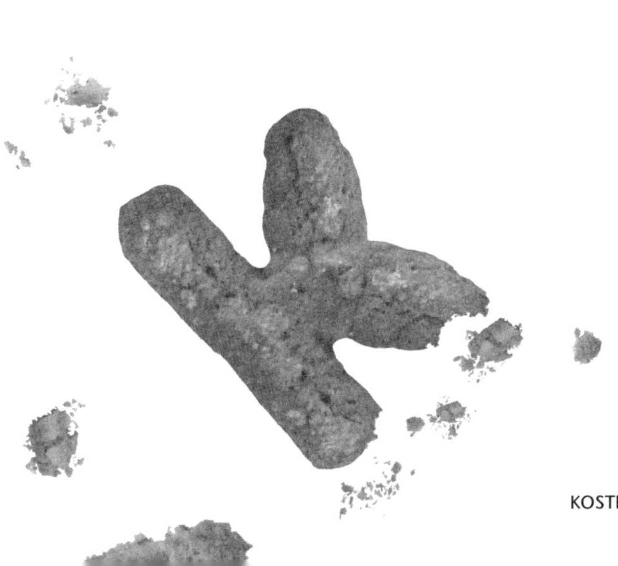

Die Hochzeit zu Kana

DIE HOCHZEIT ZU KANA

Überblick

Bibelstelle: Johannes 2,1-11

Kurzbeschreibung: Dieser Krümelgottesdienst ist als großes Fest angelegt – von der Festvorbereitung bis zur gemeinsamen Feier. Deshalb wird der Gottesdienst an unterschiedlichen Stationen gefeiert. Zugrunde liegt die Geschichte von der Hochzeit zu Kana, die das Vertrauen zum Ausdruck bringt, dass Jesus auf wundersame Weise in unser Leben eingreifen und es dadurch zum Fest machen kann.
Die Geschichte selbst ist eher für die Größeren geeignet. Beim Basteln und Feiern werden aber alle Sinne und damit alle Altersgruppen angesprochen.

Materialaufwand: mittel

Vorbereitung: hoher Aufwand

Aufgaben: je 1 Person für Musik, Liturgie, Geschichte, Aktion 1, Aktion 2 und Aktion 3

Material Aktion 1: Basteltische; bunte Papiertrinkhalme, in kleine Stücke (ca. 2 cm) geschnitten (Trinkhalm-Perlen); 3 – 4 Schälchen für die Trinkhalm-Perlen; 1 Rolle dickes Häkelgarn (oder auch dünne Paketschnur), besser noch rundes Gummiband zum Auffädeln der bunten Trinkhalm-Perlen als Kette; 2 – 3 Scheren, 1 fertig gebastelte Kette zur Ansicht (Bastelbeispiel s. Downloads)

Material Aktion 2 und 3: 2 Kindertische, 2 weiße Tischdecken für die Kindertische, Kerzen, Blumen, Essen (Trauben, kleine Kekse, kleine Salzbrezeln, Traubensaftschorle und als Alternative Leitungswasser), Kanne für das Getränk, 1 Becher je Kind, Orffsche Instrumente

Material Geschichte: Kanne, mit etwas Getränk gefüllt (s. auch Materialliste für Aktion 2 und 3)

Material Mitgebsel: Das Mitgebsel ist die Kette aus Trinkhalm-Perlen, die in Aktion 1 gebastelt wird (Bastelbeispiel s. Downloads).

Thematisches Lied: Wir singen vor Freude, das Fest beginnt (Kommt und Singt, Nr. 184)

Vorbereitung

- Für die Vorbereitung muss bei diesem Gottesdienst ein wenig mehr Zeit eingeplant werden, da der Gottesdienst-Ort ein anderer ist und die Materialien für den Gottesdienst dorthin gebracht werden müssen. Das Team sollte ca. 90 Minuten vor Gottesdienstbeginn vor Ort sein.
- Als besonderer Ort ist dieses Mal die Kirche vorgesehen, nicht das Gemeindehaus. Eine Kirche, die einen kleinen Vorraum hat, bietet die Möglichkeit, hier den Anfangsteil des Gottesdienstes durchzuführen. Wo das nicht möglich ist, kann dieser Anfangsteil bei schönem Wetter auch auf den Platz vor der Kirche verlegt werden – oder in den hinteren Teil der Kirche. Diese Zweiteilung ist gewollt, denn das Eigentliche und der Hauptteil des Gottesdienstes wird in der Kirche vor dem Altar gefeiert.
- Im Vorraum bzw. vor der Kirche liegen Sitzkissen oder Decken aus, einige Stühle stehen in Reichweite. Außerdem werden die Basteltische vorbereitet mit den vorgeschnittenen Trinkhalm-Perlen und Garn bzw. Gummiband. Außerdem stehen hier noch die Materialien für die Geschichte bereit (Aktion 3).
- In der Kirche werden vorn im Chorraum oder vor dem Altar zwei Kindertische zu einer langen Festtafel aufgebaut, auf der weiße Tischdecken liegen. Um die Kindertische herum werden die Kinderstühle gestellt. Sitzplätze für die Erwachsenen sind die Sitzreihen daneben und dahinter.

Gottesdienstablauf

Während der Krümelphase im Vorraum der Kirche, wenn die Familien nach und nach ankommen, besteht für die Kinder schon die Möglichkeit, sich an den Basteltischen eine Kette aus den Trinkhalm-Perlen zu fädeln (Aktion 1). Hier sollte schon eine Mitarbeiterin / ein Mitarbeiter bereitstehen, um die Kinder und Eltern einzuweisen. Es ist außergewöhnlich und damit etwas Besonderes, dass bereits vor dem Beginn des Gottesdienstes eine gemeinsame Aktion stattfindet. Parallel zum Basteln gibt es natürlich das übliche „Willkommensbuffet" aus Keksen und etwas zu trinken.

Aktion 1 – Schmuck basteln (Vorraum der Kirche): „Hier dürft ihr euch eine Kette fädeln und euch richtig schick machen. So, wie wenn ihr auf ein schönes Fest geht. Das braucht ihr nachher für den Gottesdienst, denn da haben wir etwas ganz Besonderes mit euch vor. Hier seht ihr, wie so eine Kette aussehen kann (Beispiel-Kette zeigen)."

Klangschale und Begrüßung: „Herzlich willkommen euch allen zu unserem Krümelgottesdienst mit dem Thema ‚Die Hochzeit zu Kana', einer Geschichte aus dem Neuen Testament, in der ein echtes Wunder passiert. Jesus macht auf einer Hochzeit etwas ganz Besonderes. Lasst euch überraschen! Zu Beginn hören wir gemeinsam auf die Musik."

Musik und Eingangswort: „Wir feiern Gottesdienst und mit uns feiert Gott, der Vater (erste Kerze anzünden) und der Sohn (zweite Kerze anzünden) und der Heilige Geist (dritte Kerze anzünden). Amen."

Begrüßungslied: Siehe Abschnitt „Begrüßungslieder".

Gebet mit Bewegungen: Siehe Abschnitt „Gebet mit Bewegungen".

Lied mit Bewegungen: Siehe Abschnitt „Lied zwischen Gebet und Geschichte".

Aktion 2 – Festvorbereitung (Vorraum der Kirche): (Diese Aktion beginnt mit einem Gespräch. Eine Mitarbeiterin / ein Mitarbeiter nimmt darin Bezug auf den Anfang des Gottesdienstes.) „Ihr habt euch ja vorhin alle eine schöne Kette gebastelt. Wann zieht man denn schöne Dinge an wie zum Beispiel Ketten? Wann macht man sich schick? (Die Kinder erzählen, zu welchen Anlässen sie sich schick machen. Das Gemeinsame dieser Anlässe wird sein, dass es sich meistens um ein Fest handelt. Das eröffnet die nächste Gesprächsrunde.) Was braucht man denn noch so alles für ein Fest? (Die Kinder zählen auf, was man so braucht für ein Fest: schöne Kleider, Blumen, Geschenke, Essen und Trinken, Kerzen, Musik ... – und Gäste. Manche dieser Gegenstände liegen vorbereitet da und werden nach und nach hervorgeholt und vor den Kindern hingestellt.) So, mit Schmuck haben wir uns schon alle festlich gemacht. Hier darf sich nun jede/jeder einen Gegenstand nehmen und ihn hinein in die Kirche tragen zu unserem Fest! (Und so bekommt jedes Kind einen Gegenstand und darf ihn in die Kirche hineintragen.)

Wir ziehen nun gemeinsam in die Kirche ein und hören dazu das Lied ‚Wir singen vor Freude'. Vorn in der Kirche ist eine große Festtafel aufgebaut, dort dürft ihr eure Sachen ablegen. Dann setzt ihr euch auf die Stühle. (Beim Einzug wird das Lied von den Mitarbeitenden gesungen. Die Erwachsenen werden dazu ermutigt, mit einzusetzen.)"

Thematisches Lied: Wir singen vor Freude, das Fest beginnt (Kommt und Singt, Nr. 184)

Geschichte: „Wir sitzen jetzt alle gemeinsam an einem festlich gedeckten Tisch. In der Geschichte, die ich euch heute von Jesus erzählen möchte, ist das auch so. Auch Jesus sitzt an einem festlichen Tisch. Er ist bei einer Hochzeit eingeladen. Ein großes Fest ist das und viele Gäste sind da. Vielleicht wart ihr auch schon einmal bei einer Hochzeit? (Die Antworten der Kinder abwarten.) Und Jesus ist mit seinen Freunden mittendrin. Es gibt die leckersten Speisen, guten Wein und viele andere Sachen. Die Gäste feiern fröhlich und unterhalten sich gut. Musik wird auch gemacht, ganz besonders schöne Musik. Die Gäste tanzen vor Freude mit dem Brautpaar und genießen das Fest.

Doch dann passiert es: Das letzte Glas Wein wird ausgeschenkt – und es ist nichts mehr zu trinken da. Und das, obwohl das Fest noch lange nicht vorbei ist! (Nun wird Traubensaftschorle an alle von den Mitarbeitenden verteilt, bis die Kanne leer ist – diese war zuvor nur wenig befüllt. Als das erste Kind etwas ausgeschenkt bekommen soll, kommen nur noch ein paar Tropfen aus der Kanne.) Und jetzt? Was sollen die Gastgeber tun? Wie kann die Hochzeit fröhlich weitergehen? (Die Kinder überlegen gemeinsam. Dann wird die Geschichte zu Ende erzählt.)

Die Mutter von Jesus ist auch auf dieser Hochzeit. Und sie bittet Jesus, doch etwas zu tun. Ihm fällt doch bestimmt etwas ein! Und tatsächlich geht Jesus nach einer Weile zu den Leuten, die die Getränke ausschenken. Dort stehen ein paar große, leere Krüge herum. Jesus bittet die Leute, diese Krüge mit Wasser zu füllen. Sie verstehen zwar nicht, warum sie das tun sollen – aber sie machen es einfach. Und dann sagt Jesus: ‚Jetzt schenkt daraus ein und lasst den probieren, der für die Getränke zuständig ist, euren Getränkemeister.‘ Wie? Einfach das Wasser einschenken und dem Getränkemeister geben? Das geht doch nicht! Der wird sie nach Hause schicken, wenn sie ihm das Wasser unter die Nase halten. Doch wieder machen die Leute das, was Jesus sagt. Und als der Getränkemeister probiert, was sie ihm hinhalten, wundert er sich ziemlich. Wie kann das denn gehen? Einen so leckeren und guten Wein hatte er selten getrunken. Er fragt sich, warum der gute Wein jetzt erst den Gästen hingestellt wird und nicht schon am Anfang des Festes ausgeschenkt wurde. Und die Hochzeit geht fröhlich weiter. Alle genießen das Essen und Trinken – besonders den leckeren Wein. Jesus hat das Fest gerettet und aus Wasser Wein gemacht. ‚Das ist ein echtes Wunder‘, sagen die Leute, die damals dabei sind.

Tja, so etwas gibt es in unserem Leben nicht. Aber vielleicht fängt das Wunder bei uns ja auch früher an: Wenn Menschen aufeinander achten und füreinander sorgen. Wenn wir schauen, dass alle etwas zu trinken und zu essen haben.

Das machen wir jetzt gleich auch gemeinsam: essen und trinken. Doch zuerst wollen wir noch einmal unser Lied von heute singen. Wir haben dafür noch ein paar Instrumente für euch, mit denen ihr das Lied begleiten könnt. (Die Orffschen Instrumente werden an die Kinder verteilt. Falls die Instrumente nicht ausreichen sollten, wird darauf hingewiesen, dass das Lied auch mit Klatschen begleitet werden kann.)“

Thematisches Lied: Wir singen vor Freude, das Fest beginnt (Kommt und Singt, Nr. 184)

Aktion 3 – Gemeinsam essen und trinken (in der Kirche): Alle bekommen nun einen Becher mit Traubensaftschorle, dazu von der Festtafel Trauben, Kekse und kleine Salzbrezeln. Wer das nicht mag, bekommt alternativ Leitungswasser angeboten. Es wird gemeinsam an der Festtafel gegessen und getrunken.

Zum Abschluss dieses „Fest-Essens“ wird das thematische Lied noch einmal gesungen, dieses Mal wieder mit voller Unterstützung durch alle Instrumente sowie durch Klatschen.

Thematisches Lied: Wir singen vor Freude, das Fest beginnt (Kommt und Singt, Nr. 184).

Vaterunser mit Bewegungen: Siehe Abschnitt „Vaterunser mit Bewegungen“.

Segen mit Bewegungen: Siehe Abschnitt „Segen“.

Abkündigungen: Nach dem Segen wird auf den nächsten Termin der Krümelkirche hingewiesen – und natürlich bei Bedarf auf weitere Angebote der Gemeinde, die das gesamte

Gemeindeleben und besonders Familien mit Kindern betreffen. Außerdem wird abgekündigt, dass wie in jedem Krümelgottesdienst der Einleger im Liedblatt mit nach Hause genommen werden darf und am Ausgang Flyer mit den Krümelterminen ausliegen.

Mitgebsel: Das Mitgebsel entsteht am Anfang des Gottesdienstes bei Aktion 1 in Form der Kette aus Trinkhalm-Perlen.

Segenslied mit Bewegungen: Siehe Abschnitt „Segenslieder".

Musik zum Abschluss

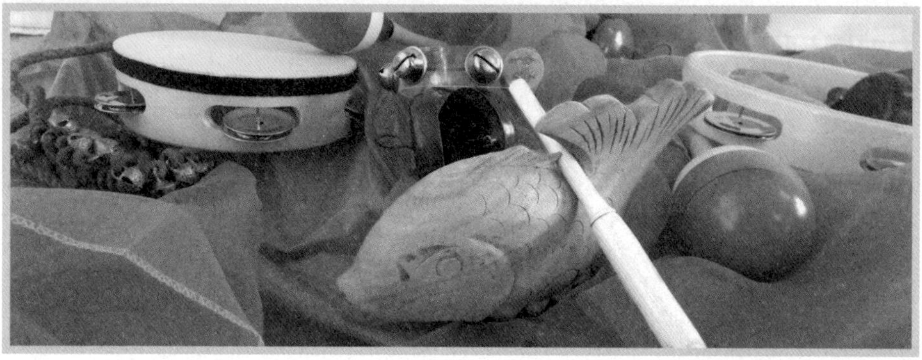

Impuls für die Erwachsenen

Jesus verwandelt Wasser in Wein

Ein Hochzeitsfest ohne Wein – bei uns kaum denkbar. Und auch in biblischer Zeit gehörte Wein zu jedem Festtag: zum Beginn des wöchentlichen Sabbats genauso wie zum jährlichen Passafest oder zu einer Hochzeit. Er ist Zeichen der Lebensfreude, und seine Wahl zeichnet die gute Gastgeberin / den guten Gastgeber aus.

Als Gast feiert Jesus eine Hochzeit mit. Wer da heiratet, erfahren wir nicht. Wir lesen nur, dass irgendwann der Wein ausgeht. Wie peinlich für die Gastgeber! Und so denkt Maria ganz praktisch und fordert ihren Sohn Jesus auf, doch auszuhelfen. Zuerst weist er sie schroff zurück. Dann aber gibt er den Dienern den Befehl, Wasserkrüge zu nehmen, die eigentlich für die rituelle Reinigung gedacht sind. Mit Wasser gefüllt werden sie zum Speisemeister gebracht. Wie sich dann das Wunder vollzieht, erzählt der Text nicht. Doch als der Speisemeister testet, ist das Wasser schon zum besten Wein geworden. Ein Wunder – ein Zeichen dafür, dass mit Jesus Gott selbst handelt. Und zugleich ein Zeichen dafür, dass durch Jesus schon die Freudenzeit angebrochen ist, die in Gottes Reich vollendet sein wird.

Wir erleben keine solch spektakulären Wunder in unserem Leben. Unser Glaube gründet aber auf dem tiefen Vertrauen, dass Gott auch in unserem Leben manchmal das Unmögliche möglich macht. Und dass für uns auch heute schon spürbar ist, dass Gott für uns ein Leben vorbereitet, in dem wir Freude in Fülle haben.

JESUS UND DER STURM

JESUS UND DER STURM

Überblick

Bibelstelle:	Markus 4,35-41
Kurzbeschreibung:	Diese Geschichte erzählt vom mangelnden Vertrauen der Jünger: Sie haben Angst im Sturm und befürchten, dass Jesus sie im Stich lässt. Aber das Gegenteil ist der Fall. Jesus weiß darum, dass seine Freunde in Not sind und steht ihnen zur Seite. In der Geschichte von der Sturmstillung gebietet er dem Wind und den Wellen – und sie gehorchen ihm. Staunend dürfen Jesu Freunde miterleben, dass er Wunder tut und für sie da ist. In diesem Gottesdienst wird die Geschichte der Sturmstillung gemeinsam erzählt und als Mitmachgeschichte durch Geräusche und Klänge miterlebt. Außerdem gibt es zur Geschichte zwei Aktionen: Einmal ein Bewegungsspiel in Reimform und danach wird noch ein Papier-Schiffchen gefaltet, das die Kinder am Ende des Gottesdienstes mit nach Hause nehmen dürfen.
Materialaufwand:	mittel
Vorbereitung:	geringer Aufwand
Aufgaben:	je 1 Person für Musik, Liturgie, Geschichte, Aktion 1 und Aktion 2
Material Geschichte:	Orffsche Instrumente (Anzahl so wählen, dass es für alle Kinder ausreicht. Als zusätzlicher Vorrat an Rasseln dienen auch gelbe Plastiküberraschungseier, die mit Getreidekörnern oder Reis gefüllt und zugeklebt sind.); 1 Korb o. Ä. für die Aufbewahrung; 1 blauer Müllsack (See Genezareth; an einer Längsseite und unten an der Querseite so aufgeschnitten, dass er ein großes, einlagiges Rechteck darstellt); 1 kleines Spiezeugboot (alternativ 1 gebasteltes Boot aus einer Pappschale für Obst, z. B. einer leeren Erdbeerschale)
Material Aktion 1:	Bewegungsspiel „Jesus und der Sturm“ (s. Downloads), abgedruckt auf dem Einleger des Liedblattes
Material Aktion 2:	Basteltische, 1 Kopie der Druckvorlage für das Papierschiffchen je Kind, (s. Downloads), Buntstifte, 1 fertig gebasteltes bzw. gefaltetes Schiffchen **Tipp:** Videos mit Faltanleitungen oder auch schriftliche Faltanleitungen finden sich im Internet. Entsprechende Links stehen unter www.kruemelkirche.de bereit. Alternativ oder auch zusätzlich kann das Bild vom Boot im Sturm auch als Ausmalbild bereitgelegt werden (s. Downloads).
Material Mitgebsel:	Das Mitgebsel ist das Schiffchen, das in Aktion 2 gebastelt wird (Druckvorlage s. Downloads).

Thematisches Lied: Er hält die ganze Welt in seiner Hand (Kommt und singt, Nr. 610). Unsere Strophen:

- Er hält die Sonne und den Mond in seiner Hand
- Er hält die Tiere und die Pflanzen in seiner Hand
- Er hält dich und mich in seiner Hand

Möglich wäre hier die Ergänzung von 2 selbstgedichteten Strophen zum Thema des Gottesdienstes:

- Er hält den Wind und die Wellen in seiner Hand
- Er hält das Boot und die Jünger in seiner Hand

Vorbereitung

- Die Vorbereitung für diesen Entwurf ist gering: Für die Geschichte werden die Utensilien bereitgestellt, am besten in einem Korb.
- Für Aktion 1 und 2 müssen die Kopien vorab ausgedruckt werden, am Gottesdiensttag selbst sind Basteltische mit Stiften vorzubereiten.
- Bei Bedarf müssen die Basteltische aufgebaut werden, außerdem muss das Material für die Aktion bereitgestellt werden.
- Als Vorbereitungszeit vor der Krümelphase sind somit ca. 30 Minuten zu empfehlen.

Gottesdienstablauf

Klangschale und Begrüßung: „Herzlich willkommen euch allen zu unserem Krümelgottesdienst mit dem Thema ‚Jesus und der Sturm'. Diese spannende Geschichte aus der Bibel wollen wir gemeinsam erleben und spielen. Zu Beginn hören wir auf die Musik."

Musik und Eingangswort: „Wir feiern Gottesdienst und mit uns feiert Gott, der Vater (erste Kerze anzünden) und der Sohn (zweite Kerze anzünden) und der Heilige Geist (dritte Kerze anzünden). Amen."

Begrüßungslied: Siehe Abschnitt „Begrüßungslieder".

Gebet mit Bewegungen: Siehe Abschnitt „Gebet mit Bewegungen".

Lied mit Bewegungen: Siehe Abschnitt „Lied zwischen Gebet und Geschichte".

Geschichte: (Zu Beginn der Geschichte gibt die Erzählerin / der Erzähler einige Hinweise zum Ablauf.) „Heute brauche ich eure Hilfe, wenn ich die Geschichte erzähle. Könnt ihr mir helfen? Schaut mal, ich habe hier eine kleine Kiste dabei. Da ist für jede/jeden von euch etwas drin. Mit den Sachen kann man Geräusche machen, ganz leise und ganz laute

Geräusche. Und dafür brauche ich euch alle nachher, wenn ich die Geschichte erzähle. Jetzt schauen wir aber erst einmal, was in der Kiste ist. (Die Erzählerin / der Erzähler öffnet die Kiste. Es kommen viele verschiedene, kleine Instrumente zum Vorschein. Reihum gibt sie/er jedem Kind ein Instrument.) Jede/jeder hat jetzt etwas in der Hand, womit man Geräusche machen kann. Schaut mal zu mir: Wenn ich die Hand hebe und ‚Stopp' sage, dann werden wir alle ganz schnell leise. Lasst uns das einmal zusammen ausprobieren. (Ein paar Mal wird ausprobiert, ob das Leisewerden auf Kommando funktioniert. Außerdem übt die Erzählerin / der Erzähler noch, wie die Kinder ganz leise starten und dann immer lauter werden. Wenn das gut geklappt hat, kann es mit der Geschichte losgehen.)

So, jetzt haben wir alle gemeinsam geübt für die Geschichte. Legt mal eure Instrumente vor euch auf den Boden. In der Geschichte, die ich euch heute erzähle, sage ich euch dann rechtzeitig Bescheid, wenn ich euch brauche. Okay? (Die Erzählerin / der Erzähler breitet einen großen blauen Sack aus, der an einer Längsseite und unten an der Querseite aufgeschnitten wurde und nun ein großes, einlagiges Rechteck darstellt.) Das ist ein großer See – fast ein kleines Meer. Dieser See liegt in dem Land, in dem Jesus gelebt hat. Und auf diesem See spielt die Geschichte, die ich euch heute erzählen möchte: Jesus und seine Jünger, seine Freunde, haben einen sehr langen Tag hinter sich. Jesus hat viel mit Menschen gesprochen – und viele Menschen hatten Fragen an ihn. Einige wollten auch von ihm geheilt werden. Doch jetzt ist Jesus richtig müde. Er braucht eine Pause und seine Ruhe. Er muss sich von dem anstrengenden Tag erholen. Und so bittet er seine Freunde, dass sie mit ihm gemeinsam in ein Boot steigen und über den großen See, den See Genezareth, fahren. Irgendwohin, wo nicht mehr so viele Menschen sind. (Die Erzählerin / der Erzähler stellt das Spielzeugboot auf die blaue Tüte.) Und so fahren sie mit dem Boot los. Das Wasser ist ruhig und plätschert vor sich hin. Es sind nur leise Geräusche zu hören – und auch der Wind ist ganz sanft. (Die Kinder werden zu leisen Geräuschen aufgefordert. Mit Hilfe der erhobenen Hand als Stopp-Signal wird es wieder leise.) Jesus sucht sich im Boot eine ruhige Ecke, legt sich auf ein Kissen und ist so müde, dass er einschläft. ‚Die Verschnaufpause hat er sich wirklich verdient!', sagen seine Freunde. Und sie kümmern sich darum, dass das Boot ruhig übers Wasser fährt bis zum anderen Ufer.

Aber auf einmal werden die Wellen stärker – und der Wind auch. (Die Kinder werden zu leisen Geräuschen aufgefordert, die ein bisschen lauter werden. Die Mitarbeiterinnen und Mitarbeiter, die um den blauen Sack verteilt sitzen, knistern dazu mit der blauen Sackfolie und bringen das Boot darauf etwas in Bewegung.) Am Himmel sind graue Wolken zu sehen – das Wetter hat sich schlagartig geändert. Und die Wellen werden stärker und höher – ein richtiger Sturm kommt auf. Die Wellen klatschen laut ans Boot. (Alle machen laute Geräusche und klatschen zwischendurch in die Hände. Es entsteht ein tobender Lärm. Und auch das Boot auf der Tüte wird stark bewegt.) ‚Oh nein! Wir gehen unter!', rufen die Freunde von Jesus. Sie klammern sich am Bootsrand fest und haben solche Angst. Und Jesus? Der schläft seelenruhig auf seinem Kissen. Kann das sein? Und so rufen die Freunde laut nach Jesus: ‚Jesus! Hilf uns!' (Die Erzählerin / der Erzähler fordert alle Kinder auf, laut mitzuschreien: ‚Jesus! Hilf uns!' Alle schreien laut.) ‚Jesus, hilf uns, wach endlich auf! Du kannst uns hier nicht im Stich lassen. Bald wirft der Sturm das Boot um und dann fallen wir alle ins Wasser und gehen unter!'

Und dann … dann steht Jesus auf. In großer Ruhe und Gelassenheit steht er im Boot und befiehlt dem Wind, nicht mehr so stark zu blasen, und den Wellen, kleiner zu werden. Und tatsächlich geschieht das Wunder: Der Wind geht zurück, die Wellen werden kleiner – und plötzlich ist das Wasser still. Als ob nichts gewesen wäre! (Alle werden ganz leise. Um das zu signalisieren, erhebt die Erzählerin / der Erzähler erst die Hand, verstärkend legt sie/ er danach noch den Zeigefinger der anderen Hand auf die Lippen.)

Die Freunde von Jesus staunen nicht schlecht. Gerade noch hatten sie Angst und dachten, das Boot kippt um und sie alle mit. Und jetzt ist alles vorbei, das Wasser still, kein Wind weht weit und breit. Wie kann das sein? Wer ist dieser Jesus? Er kann sogar dem Wind und den Wellen sagen, was sie machen sollen, und sie gehorchen ihm!
Auch Jesus wundert sich: Er wundert sich, dass seine Freunde so wenig Vertrauen haben. Dass sie geglaubt haben, er würde sie im Stich lassen, wenn sie solche Angst haben. Doch dieses Erlebnis mit Jesus hat den Freunden klargemacht: Jesus ist immer für uns da. Für jede einzelne / jeden einzelnen von uns. Auch heute. Er ist da für dich und mich. Egal, was kommt. Und gerade dann, wenn meine Angst am größten ist, kann er mit Kraft geben und Mut. Das ist doch klasse! Mit Jesus durchs Leben zu gehen, das lohnt sich wirklich!" (Zum Abschluss kann die Erzählerin / der Erzähler die Kinder nochmals auffordern, die Geräusche lauter zu machen, bis ein richtiger Sturm tobt. Und wenn sie/er dann ‚Stopp' ruft und die Hand hebt, werden alle leise.)

Aktion 1 – Bewegungsspiel: „Wir haben für euch ein Bewegungsspiel vorbereitet. Da wird diese Geschichte noch einmal ganz kurz und mit Bewegungen erzählt. Dieses Blatt dürft ihr nach dem Gottesdienst mit nach Hause nehmen. Schaut mal her und macht gleich mit!"

Text	**Bewegungen**
Im Boot die Jünger und Jesus sind,	Mit beiden Händen schalenförmig ein Boot bilden.
über dem Wasser weht ein leichter Wind.	Sanft über beide Hände pusten.
Jesus legt sich auf einem Kissen zur Ruh	Kopf seitlich auf beide Hände zum Schlafen legen.
und macht schon bald die Augen zu.	Die Augen schließen.
Das Boot, das schaukelt hin und her.	Mit beiden Händen schalenförmig ein Boot bilden und hin und her schaukeln.
Da braust ein großer Sturm daher.	Beide Hände wie ein Rohr um den Mund legen und lautes Windrauschen machen.
Die Wellen werden riesig hoch	Große wogende Wellen-Bewegungen mit den Unterarmen machen.
und klatschen heftig nun an's Boot.	In die Hände klatschen.
Die Jünger haben Angst und fragen: „Hört Jesus uns und unser Klagen?"	Sich ganz klein machen und die Hände fest um den Oberkörper schlingen.
Ja, Jesus hört und sieht die Not,	Mit beiden Händen auf Ohren und Augen zeigen.

Text	Bewegung
steht auf und ruhiger wird's im Boot.	Glättende Kreisbewegung mit der flachen Hand machen.
Und auch das Meer wird still geschwind,	Zeigefinger auf den Mund legen.
denn Jesus ist Herr über Sturm und Wind!	Mit beiden Händen nach oben zeigen und dann den Himmel zeichnen.
Er ist bei mir, Angst hab ich nicht!	Bei „bei mir" Hand aufs Herz legen; bei „nicht" den Kopf schütteln und den Zeigefinger wie beim Nein bewegen.
Er ist meine Kraft, mein Weg und mein Licht.	Bei „Kraft" die Muskeln zeigen; bei „Weg" Laufbewegungen mit zwei Fingern machen; bei „Licht" die Faust öffnen und die Finger abspreizen wie eine strahlende Sonne.

Aktion 2 – Schiffchen falten und anmalen: „Jetzt wollen wir mit euch noch an den Basteltischen ein Schiffchen falten. Das dürft ihr dann als Erinnerung an diesen Gottesdienst heute mit nach Hause nehmen."
Eine Mitarbeiterin / ein Mitarbeiter faltet das Schiffchen in langsamen Schritten vor, die anderen machen es nach. Wichtig dabei ist, dass die bedruckte Seite beim ersten Faltvorgang innen landet. Nur so wird später das Motiv außen am Schiffchen sichtbar. Kleinere Kinder brauchen hier ein wenig Unterstützung. Wer fertig mit Falten ist, darf sein Schiffchen noch mit Buntstiften anmalen.

Thematisches Lied: Er hält die ganze Welt in seiner Hand (Kommt und singt, Nr. 610).

Vaterunser mit Bewegungen: Siehe Abschnitt „Vaterunser mit Bewegungen".

Segen mit Bewegungen: Siehe Abschnitt „Segen".

Abkündigungen: Nach dem Segen wird auf den nächsten Termin der Krümelkirche hingewiesen – und natürlich bei Bedarf auf weitere Angebote der Gemeinde, die das gesamte Gemeindeleben und besonders Familien mit Kindern betreffen. Außerdem wird abgekündigt, dass wie in jedem Krümelgottesdienst der Einleger im Liedblatt mit nach Hause genommen werden darf und am Ausgang Flyer mit den Krümelterminen ausliegen.

Mitgebsel: Das Mitgebsel entsteht bei Aktion 2 in Form des gefalteten Papierschiffchens.

Segenslied mit Bewegungen: Siehe Abschnitt „Segenslieder".

Musik zum Abschluss

Impuls für die Erwachsenen

Jesus stillt den Sturm

„Wir erleben gerade stürmische Zeiten." „Mir steht das Wasser bis zum Hals." „Ich gehe fast unter in der vielen Arbeit." Gedanken wie diese kennen wir alle. Zu große Belastung, erdrückende Sorgen oder schwere Zeiten bedrängen uns und werden mit Bildern aus der Seefahrt umschrieben. Diese verängstigten Gedanken kennen auch die Freunde Jesu. Besonders eindrücklich wird das erzählt in der Geschichte von der Sturmstillung: Mit Jesus auf dem See Genezareth unterwegs, erleben die Jünger ein für die dortige Landschaft nicht seltenes Phänomen: einen plötzlich aufziehenden starken Sturm. Doch während die Jünger in Todesangst um ihr Leben rudern, schläft Jesus ruhig im Boot, bis ihn seine Freunde voller Angst aufwecken. Und Jesus? Er bringt den Sturm zum Schweigen und ermutigt die Freunde, mehr Vertrauen in ihn aufzubringen.

Und auch wir werden durch diese Geschichte ermutigt nicht hektisch zu rudern, nicht zu meinen, wir müssten alles allein schaffen. Wir dürfen in Zeiten, in denen uns das Wasser bis zum Hals steht und wir unterzugehen drohen in Sorge, unsere Ängste bei dem einen abladen, der immer ein offenes Ohr für uns hat. Er achtet auf uns, auch wenn wir den Eindruck haben, er würde schlafen und unsere Ängste nicht wahrnehmen. Er wird nicht zulassen, dass wir untergehen! Er ist nicht nur an sonnigen Tagen bei uns, sondern gerade in den stürmischen Zeiten.

Für andere da sein – der barmherzige Samariter

FÜR ANDERE DA SEIN – DER BARMHERZIGE SAMARITER

Überblick

Bibelstelle:	Lukas 10,25-37
Kurzbeschreibung:	Nächstenliebe, die spürbar wird in Worten und Taten, ist Thema dieses Gottesdienstes. Die Geschichte wird anschaulich mit biblischen Erzählfiguren erzählt, wobei auf eine ausführliche Darstellung des Überfalls verzichtet wird. Im Mittelpunkt steht vielmehr der Verletzte, der Hilfe benötigt, diese aber zunächst nicht erhält. Schließlich wendet sich die Geschichte zum Guten. Die Erfahrung, sich wehzutun und Hilfe zu brauchen oder auch Trost, ist Kindern nicht fremd. Das beginnt mit den ersten Laufversuchen. Auch größere Kinder ab dem Kindergartenalter werden aus ihrem Alltag schon von ähnlichen Erlebnissen erzählen können: dass einem andere wehtun oder man hinfällt – und man auf Hilfe angewiesen ist. Oder sie erleben die andere Seite, dass sie anderen Menschen helfen und auf andere zugehen. Das kann die Mama / der Papa sein, die Nachbarin / der Nachbar oder die alte Frau / der alte Mann im Supermarkt.
Materialaufwand:	mittel
Vorbereitung:	mittlerer Aufwand
Aufgaben:	je 1 Person für Musik, Liturgie und die Aktion; 2 Personen für die Geschichte
Material Geschichte:	5 männliche Erzählfiguren (für den Mann, der überfallen wird, den Priester, den Priestergehilfen, den Samariter und den Wirt des Gasthauses – das können biblische Erzählfiguren oder auch Biegepüppchen sein), 1 beiges Tuch (Weg), 2 größere Steine (Steinbrocken), 2 grüne Tücher (Gebüsch am Wegesrand), 1 dunkles Tuch (unter das eine biblische Erzählfigur passt, für den Überfall), 1 Spielzeugesel, Verbandsmaterial (am besten eine kleine Rolle self-adhesive Fingerverband), Wirtshaus aus Pappe mit Bett (Schuhkarton)
Material Aktion:	Maltische, 2 – 3 Druckvorlagen in Postkartengröße je Kind (DIN A6, Querformat, weiß; auf der Vorderseite wird ein Ausmalbild abgedruckt, auf der Rückseite die Textvorlage; s. Downloads), ggf. noch einige DIN-A6-Blankokarten
Material Mitgebsel:	2 Kinderpflaster je Kind
Thematisches Lied:	Gib uns Ohren, die hören (Kommt und Singt, Nr. 496)

Vorbereitung

- Der Hauptteil der Vorbereitung besteht im Druck der Ausmalkarten. Hier kann auf vorhandene Motive zurückgegriffen werden (Ausmalbild s. Downloads) oder selbst kreativ Hand angelegt werden.
- Die Geschichte wird von zwei Mitarbeitenden vor dem Gottesdienst geübt.
- Für die Aktion sollten Maltische, Malstifte und Malvorlagen (s. Downloads) bereitgestellt werden.
- Ggf. muss vorab das Mitgebsel gebastelt werden, sollten je zwei Pflaster nicht zusammenhängen. In diesem Fall kann ein kleiner Umschlag dafür vorbereitet werden mit dem Logo der Krümelkirche oder auch einem allgemeinen Logo der Kinderkirche darauf (Bastelbeispiel s. Bild unten).
- Neben den üblichen Vorbereitungen ist es deshalb ausreichend, weitere 20 Minuten einzuplanen.

Gottesdienstablauf

Klangschale und Begrüßung: „Herzlich willkommen heute zu unserem Krümelgottesdienst mit dem Thema ‚Für andere da sein – Der barmherzige Samariter'. Darin wird es um einen Mann gehen, der in einer Notlage ganz allein ist, der dringend jemanden bräuchte, der für ihn da ist. So wie eure Mama und euer Papa für euch da sind und euch trösten, wenn ihr euch wehtut oder mal traurig seid! Hört mal zu, wie es diesem Mann heute in der Geschichte ergeht. Zu Beginn hören wir gemeinsam auf die Musik."

Musik und Eingangswort: „Wir feiern Gottesdienst und mit uns feiert Gott, der Vater (erste Kerze anzünden) und der Sohn (zweite Kerze anzünden) und der Heilige Geist (dritte Kerze anzünden). Amen."

Begrüßungslied: Siehe Abschnitt „Begrüßungslieder".

Gebet mit Bewegungen: Siehe Abschnitt „Gebet mit Bewegungen".

Lied mit Bewegungen: Siehe Abschnitt „Lied zwischen Gebet und Geschichte".

Geschichte: Die Geschichte wird mit Erzählfiguren erzählt. Wichtig ist dabei, ruhige Bewegungen zu machen und sich auch beim Erzählen Zeit zu lassen. Die Erzählerin / der Erzähler bewegt die Figuren soweit es geht selbst passend zum Text mit. An komplexeren Stellen wird sie/er von einer weiteren Person unterstützt.

„Es kommen immer wieder Menschen zu Jesus und stellen ihm Fragen. Zum Beispiel die Frage, wie man richtig leben soll. ‚Was sollen wir tun, dass unser Leben gelingt?', fragen sie ihn. Und da erzählt Jesus ihnen eine Geschichte: Der Weg von Jerusalem nach Jericho ist gefährlich. Es ist ein einsamer Weg, mit vielen großen Steinbrocken und Gebüsch. Oft kann man gar nicht weit sehen, so verschlungen und kurvig verläuft der Weg. Wilde Tiere gibt es in dieser Gegend. Und auch Räuber überfallen immer wieder Menschen auf diesem Weg. (Die Erzählerin / der Erzähler legt parallel zum Erzählen ein beiges, langes Tuch hin für den Weg. Dazu ein paar große Steine und zwei zusammengeknüllte, grüne Tücher.)

Eines Tages geht ein Mann genau auf diesem Weg von Jerusalem nach Jericho. (Die erste männliche Figur läuft langsam den Weg entlang.) Und da passiert es: Eine Räuberbande lauert ihm auf, fällt über ihn her, raubt ihn aus und prügelt und schlägt auf ihn ein. Danach verschwinden die Räuber ganz schnell. (Ein dunkles Tuch wird über den Mann gelegt und dann wird unter dem Tuch ordentlich gewühlt. Die Räuber werden nicht als Figuren dargestellt).

Oh nein, da liegt der Mann nun ganz allein und schwer verletzt. Ganz still ist es um ihn herum. Kein Mensch weit und breit. Kann ihm keiner helfen? Er ist zu sehr verletzt, um aufstehen zu können – und so bleibt er liegen. (Das dunkle Tuch wird weggenommen, die Figur des Mannes liegt am Wegrand.)

Doch da, Schritte, da kommt jemand. Der Mann sieht, dass es ein Priester ist. Einer, der an Gott glaubt und Menschen davon weitererzählt. Einer, der bestimmt hilft! Und dieser Priester kommt näher und näher. Der verletzte Mann will um Hilfe rufen, aber er ist zu schwach. Jetzt muss der Priester ganz nah bei ihm sein. Bleibt er stehen? (Die zweite männliche Figur läuft langsam herbei und bleibt fast stehen.) Aber was ist das? Der Priester schaut weg, geht auf einmal schneller – und dann ist er auch schon vorbeigelaufen und immer weiter weg. Der verletzte Mann kann es nicht glauben. Läuft der Priester einfach vorbei! (Der Priester läuft schnell weiter und verschwindet.)

Zum Glück kommt da noch jemand, ganz klar sind die Schritte auf dem Weg zu hören. Jetzt endlich kommt Hilfe! Es ist ein Priestergehilfe, der hilft dem verletzten Mann doch bestimmt! Näher und näher kommt er. (Die dritte männliche Figur läuft langsam herbei.) Doch als der den Verletzten sieht, läuft er schneller und schaut, dass er wegkommt. (Der Priestergehilfe läuft vorbei und verschwindet.) ‚Hilfe! Hilfe!', will der verletzte Mann noch rufen, aber die Stimme versagt ihm und kein Wort kommt aus seinem Mund. Er wird ganz traurig und mutlos.

Aber was für ein Glück, da kommt tatsächlich noch jemand. Ob der auch wieder vorbeiläuft? Dieses Mal ist es ein Ausländer, ein Mann aus Samaria, der auf einem Esel geritten kommt. Die Schritte kommen näher und näher. (Die vierte männliche Figur kommt auf einem Esel geritten.) Und auf einmal geschieht das Unglaubliche: Der Mann verlangsamt seinen Esel und bleibt schließlich direkt neben ihm stehen. Der Mann steigt ab. (Der Mann aus Samaria steigt vom Esel ab und beugt sich zu dem verletzten Mann.) Der verletzte Mann spürt die Hände des fremden Mannes an seinem Kopf, dort, wo die blutende Wunde ist. Er behandelt die Wunde, wäscht sie ganz vorsichtig ab und verbindet sie. Das tut zwar weh – aber es tut auch gut. Der verletzte Mann ist froh, dass endlich jemand da ist und hilft. (Der Mann aus Samaria verbindet den Verletzten: mit dem self-adhesive Tape einen kleinen Kopfverband anlegen, außerdem einen Arm und/oder ein Bein einwickeln.) Dann wird der verletzte Mann von dem Samariter auf den Esel gehoben. Er liegt dort ganz schwach und kraftlos, denn laufen kann er nicht. (Der Mann aus Samaria legt den Verletzten auf seinen Esel. Der Samariter läuft neben dem Esel her. Unterstützung beim Spiel durch eine weitere Mitarbeiterin / einen weiteren Mitarbeiter.)

Bis zu einer Herberge geht der Mann mit dem Esel und dem Verletzten. Dort halten sie an. (Der Samariter bleibt mit dem Verletzten auf dem Esel am Wirtshaus neben dem Wirt (fünfte männliche Figur) stehen.) Der Samariter spricht mit dem Wirt der Herberge. Er gibt ihm Geld, damit der Verletzte dort wohnen kann und auch Essen bekommt. Der Wirt soll den verletzten Mann so lange bei sich behalten und ihn pflegen, bis er wieder gesund ist. Und dafür bezahlt ihn der Samariter von seinem eigenen Geld. (Der Samariter geht zum Wirt. Der Verletzte wird vorsichtig vom Esel genommen und in der Herberge in ein Bett gelegt.) Der verletzte Mann ist so erleichtert und froh und dankbar – und hat alle Zeit, wieder richtig gesund zu werden.

Diese Geschichte hat Jesus den Menschen erzählt, als sie ihn gefragt haben, wie sie leben sollen. Und das gilt auch heute noch für uns! Wir sollen mit offenen Augen und Ohren durch die Welt gehen und anderen helfen, die in Not sind, die krank, allein oder auch traurig sind!"

Aktion – Malen: „Die Geschichte vom barmherzigen Samariter hat uns gezeigt, wie gut und wichtig es ist, wenn wir an andere denken, wenn wir für andere da sind, denen es nicht so gut geht. Deshalb wollen wir heute mit euch an Menschen in unserer Gemeinde denken, die krank, alt, traurig oder auch sehr allein sind. Für diese Menschen wollen wir heute schöne Karten malen. An den Maltischen findet ihr verschiedene Ausmalkarten zum Anmalen und Buntstifte – sucht euch aus, worauf ihr Lust habt!"

Thematisches Lied: Gib uns Ohren, die hören (Kommt und Singt, Nr. 496).

Vaterunser mit Bewegungen: Siehe Abschnitt „Vaterunser mit Bewegungen".

Segen mit Bewegungen: Siehe Abschnitt „Segen".

Abkündigungen: Nach dem Segen wird auf den nächsten Termin der Krümelkirche hingewiesen – und natürlich bei Bedarf auf weitere Angebote der Gemeinde, die das gesamte Gemeindeleben und besonders Familien mit Kindern betreffen. Außerdem wird abgekündigt, dass wie in jedem Krümelgottesdienst der Einleger im Liedblatt mit nach Hause genommen werden darf und am Ausgang Flyer mit den Krümelterminen ausliegen.

Mitgebsel: „Am Ausgang bekommt heute jede und jeder von euch einen kleinen Umschlag mit zwei Pflastern darin. Eins davon ist für euch und das zweite könnt ihr verschenken oder einem anderen Kind geben, das vielleicht mal eure Hilfe braucht."

Segenslied mit Bewegungen: Siehe Abschnitt „Segenslieder".

Musik zum Abschluss

Impuls für die Erwachsenen

Für andere da sein – Der barmherzige Samariter

Ein Mann „fiel unter die Räuber“, erzählt Jesus. Und damit beginnt eine Art Krimi, in dem es um Raub und unterlassene Hilfeleistung geht. Nun werden zum Glück die wenigsten von uns Opfer einer Straftat. Und doch kennen wir das Gefühl, unter die Räuber zu fallen, schutzlos denen ausgeliefert zu sein, die es nicht gut mit uns meinen. Und wir wissen, wie wichtig es gerade in solchen Momenten ist, Menschen an unserer Seite zu haben, die uns den Rücken stärken. Wie furchtbar deshalb, wenn sich ausgerechnet die abwenden, von denen wir die Hilfe am meisten erwartet hätten – Familie, Freundinnen und Freunde, gute Kolleginnen und Kollegen. In der Geschichte Jesu muss der Verletzte lange auf Hilfe warten, wird zweimal bitter enttäuscht. Doch dann kommt einer, von dem er niemals Hilfe erwartet hätte. Einer, der von allen ausgegrenzt wird wegen seines Glaubens und wegen seiner Herkunft.

Welche Personen kämen in der Geschichte wohl vor, wenn Jesus sie heute erzählen würde? Und wer bekommt von uns Hilfe, wenn sie/er sie braucht – alle, unabhängig von ihrem Glauben und ihrer Herkunft? Wünschen wir uns, dass wir uns im rechten Moment an seine Worte erinnern: „Du sollst den Herrn, deinen Gott, lieben von ganzem Herzen, von ganzer Seele und mit all deiner Kraft und deinem ganzen Gemüt, und deinen Nächsten wie dich selbst“ (Lk 10,27 Lu).

DER GUTE HIRTE

UND DAS VERLORENE SCHAF

DER GUTE HIRTE
UND DAS VERLORENE SCHAF

Überblick

Bibelstelle:	Lukas 15,4-7
Kurzbeschreibung:	Gemeinsam machen sich die Kinder während der Erzählung auf die Suche nach dem verlorenen Schaf. Sie erleben die Sorge um das Verlorene und die Freude übers Finden und dürfen abschließend sogar ein eigenes Schäfchen mit nach Hause nehmen, auf das sie aufpassen können. Das zugrundeliegende Gleichnis wird dabei auf der Bildebene als Geschichte vom Hirten und seinen Schafen erzählt. Für die größeren Kinder und Erwachsenen kommt das Handeln des Hirten als Bild für Gottes Handeln an uns in den Blick. Die Kleinsten spüren die Zuwendung dafür in einem Bewegungsspiel, das sie mit Hilfe ihrer Eltern erleben.
Materialaufwand:	gering
Vorbereitung:	geringer Aufwand
Aufgaben:	je 1 Person für Musik, Liturgie, Geschichte, Aktion 1 und Aktion 2
Material Geschichte:	10 fertig gebastelte Schafe (Druckvorlage s. Downloads); 3 grüne Tücher (Wiese, Büsche); 1 blaues Tuch (Wasser); 1 graues Tuch (Felsen), alternativ ein großer Stein; 1 braunes Tuch (trockenes Land); 1 kleine Kiste für die gebastelten Schäfchen; 1 Hirten-Figur (kleine Biegepuppe oder biblische Erzählfigur)
Material Aktion 1:	Fingerspiel, abgedruckt auf dem Einleger des Liedblatts
Material Aktion 2:	1 Schaf auf festem, weißem DIN-A4-Papier je Kind (120 g, Druckvorlage s. Downloads); Scheren; doppelseitiges Klebeband (um auf jedem Schaf vorn und hinten bereits einen kleinen Streifen Klebeband zu befestigen); 1 Wattekugel je Kind; Basteltische
Material Mitgebsel:	Das Mitgebsel ist das Schäfchen, das in Aktion 2 gebastelt wird (Druckvorlage s. Downloads).
Thematisches Lied:	Fingerspiel „Alle meine Schäfchen“ auf die Melodie von „Alle meine Entchen“ (s. Downloads)

Vorbereitung

- Im Vorfeld ist je Kind eine Druckvorlage für das Schaf vorzubereiten. Auf diesen Vorlagen wird auf den Körper des Schafes ein Stück doppelseitiges Klebeband geklebt. Das kann vorbereitend von den Mitarbeitenden gemacht werden oder auch direkt im Gottesdienst während der Bastelaktion. Wenn mehr Zeit zum Basteln eingeplant ist, kann der Klebstoff direkt beim Basteln aufgetragen und die Watte daraufgelegt und festgedrückt werden. Damit wird auf das doppelseitige Klebeband verzichtet und der Vorbereitungsaufwand minimiert.
- Für die Geschichte und als Bastelbeispiel müssen zehn Schafe vorgebastelt werden.
- Bei Bedarf müssen die Basteltische aufgebaut werden, außerdem muss das Material für die Aktion bereitgestellt werden.
- Als Vorbereitungszeit vor der Krümelphase sind somit ca. 30 Minuten zu empfehlen.

Gottesdienstablauf

Klangschale und Begrüßung: „Herzlich willkommen euch allen zu unserem Krümelgottesdienst mit dem Thema ‚Der gute Hirte und das verlorene Schaf'. Das verlorene Schaf ist eine Geschichte aus der Bibel, die davon erzählt, wie wichtig wir alle Gott sind, jede und jeder von uns! Zu Beginn hören wir gemeinsam auf die Musik."

Musik und Eingangswort: „Wir feiern Gottesdienst und mit uns feiert Gott, der Vater (erste Kerze anzünden) und der Sohn (zweite Kerze anzünden) und der Heilige Geist (dritte Kerze anzünden). Amen."

Begrüßungslied: Siehe Abschnitt „Begrüßungslieder".

Gebet mit Bewegungen: Siehe Abschnitt „Gebet mit Bewegungen".

Lied mit Bewegungen: Siehe Abschnitt „Lied zwischen Gebet und Geschichte".

Geschichte: Die Geschichte wird mit den vorgebastelten Papierschäfchen erzählt, die nachher in Aktion 2 auch gemeinsam gebastelt werden. Die Tücher werden im Laufe der Erzählung ausgelegt. Unter dem grauen Tuch ist bereits eines der Schafe versteckt. Das wird dann während der Erzählung von den Kindern gesucht.

„Schaut mal, heute habe ich viele Schafe dabei. (Die Erzählerin / der Erzähler öffnet eine Kiste.) Die Schafe weiden alle auf einer großen grünen Wiese. (Grünes Tuch ausbreiten. Neun Papierschafe werden nacheinander auf das grüne Tuch gestellt, manche beieinander, manche verstreuter.) Die Schafe sind mit ihrem Hirten unterwegs. (Den Hirten dazustellen.) Der Hirte sorgt gut für seine Tiere. Auf grünen Wiesen grasen sie, da gibt es genug zu fressen. Drumherum wachsen Büsche. (Jetzt werden grüne Tücher, geformt zu Kugeln, als Büsche platziert.) Und es gibt auch trockenes Land und Felsen. (Braunes Tuch ausbreiten, dazu ein graues Tuch für einen Felsen. Achtung: Darin ist ein Schaf versteckt!)

Der Hirte sorgt dafür, dass die Schafe immer genügend frisches Gras zu fressen haben und dass sie immer eine Quelle oder einen Bach finden, wo die Schafe trinken können. (Mit dem Hirten gemütlich durch die Landschaft gehen und ein blaues Tuch als Quelle oder Bach dazulegen.)

Der Hirte kümmert sich Tag und Nacht um seine Tiere. Die Tiere mögen ihren Hirten. Sie freuen sich, wenn er sie zu einer saftigen Wiese oder zu frischem Wasser führt. Die Schafe sind gern bei ihrem Hirten. Sie kennen seine Stimme. Und der Hirte kennt alle seine Tiere. Er kennt jedes Schaf mit seinem Namen.

Abends zählt der Hirte seine Schafe. Das macht er jeden Abend so. Er will ganz sicher sein, dass alle seine Schafe da sind. Kein Schaf darf verlorengehen! Er zählt: (Die Schafe um den Hirten versammeln. Die Erzählerin / der Erzähler tippt die Schafe an und zählt dabei laut: 1, 2, 3 ... 8, 9, 10 ... 20, 21, 22 ... 97, 98, 99.) Mist!! Ein Schaf fehlt! Heute Morgen waren es doch noch 100 Schafe! Der Hirte zählt noch einmal. (Die Erzählerin / der Erzähler tippt erneut die Schafe und zählt dabei laut: 1, 2, 3 ... 8, 9, 10 ... 20, 21, 22 ... 97, 98, 99.) Es fehlt tatsächlich ein Schaf! Das kann doch nicht sein!? Wo kann das Schaf nur sein? Vielleicht hat es sich verlaufen? Vielleicht ist es in Gefahr? Was könnte dem Schäfchen passiert sein? (Die Erzählerin / der Erzähler überlegt gemeinsam mit den Kindern, was dem Schäfchen passiert sein könnte: es hat sich verlaufen, es hat sich verletzt ...)

Der Hirte muss sein Schaf unbedingt suchen! Es darf nicht verlorengehen! Schnell treibt er die anderen Schafe alle zusammen, damit sie in Sicherheit sind und macht sich auf die Suche. Er ruft laut nach seinem Schaf und horcht immer wieder, ob er vielleicht ein leises ‚mäh' hören kann. Der Hirte ruft immer wieder nach seinem Schäfchen: ‚Schäfchen, wo bist du?' Könnt ihr helfen, nach ihm zu rufen? (Die Erzählerin / der Erzähler ruft nun noch ein paar Mal gemeinsam mit den Kindern: ‚Schäfchen, wo bist du?' Die Hirtenfigur wird suchend durch die Landschaft bewegt.)

Plötzlich hört der Hirte etwas. Seid mal ganz still, dann hört ihr es auch! (Die Erzählerin / der Erzähler macht ganz leise ‚mäh, mäh, mäh'.) Habt ihr es auch gehört? Da war ein leises ‚mäh' zu hören. Hier muss doch irgendwo das kleine Schaf sein? Der Hirte sucht auf der Wiese, dann bei den Felsen. (Einzelne Kinder können gemeinsam mit der Erzählerin / dem Erzähler das Schäfchen bei den Tüchern suchen und finden es dann unter dem grauen Tuch.)

Da! Endlich hat der Hirte sein Schaf gefunden! Er ist so froh! Zum Glück ist ihm nichts passiert. Er nimmt es auf den Arm ... (Das Schaf dem Hirten in den Arm legen. Das geht bei einer biblischen Erzählfigur am besten; ansonsten das Schaf einfach mit dem Hirten zusammen festhalten.) ... und trägt es zu den anderen Schafen zurück auf die Weide. Der Hirte freut sich so sehr, dass er sein Schäfchen wiedergefunden hat. Er hat es so lieb! (Mit dem Hirten und dem Schäfchen zurück zur Herde laufen.)"

Hinweis zur Geschichte: Wer es schlüssiger und auch einfacher findet, kann aus den hundert Schafen die kleinere Menge von zehn Schafen machen. Damit ist zwar die Originalgeschichte verändert – aber die Zahl zehn bietet den Vorteil, dass sie überschaubarer ist für die kleinen Kinder, denn hundert ist schon eine recht abstrakte und schwer vorstellbare Menge. Außerdem können die Kinder bei zehn Schafen auch gemeinsam mit der Erzählerin / dem Erzähler mitzählen.

Aktion 1 – Fingerspiel (Thematisches Lied): „Alle meine Schäfchen" auf die Melodie von „Alle meine Entchen".
Da das Fingerspiel in diesem Gottesdienst auf die bekannte Melodie „Alle meine Entchen" gesungen wird, ist das gesungene Fingerspiel gleichzeitig auch das thematische Lied. Die Eltern nehmen die kleineren Kinder auf den Schoß oder sitzen ihnen gegenüber. Die größeren Kinder können die Bewegungen bei sich selbst mitmachen oder sich zu zweit zusammentun. Zwei Mitarbeitende stehen vorn und machen die Bewegungen vor.

Text	**Bewegungen**
Strophe 1	
Alle meine Schäfchen	Hände vor den Oberkörper halten, mit den Fingern wackeln.
laufen übers Gras,	Mit allen Fingern über den Bauch des Kindes krabbeln.
laufen übers Gras,	
hüpfen, tanzen, springen,	Mit den Fingern hüpfende, stupsende Bewegungen
haben ganz viel Spaß.	auf dem Bauch des Kindes machen.
Strophe 2	
Plötzlich ist ein Schaf weg.	Hände hinter dem Rücken verstecken, fragend schauen.
Wo kann es nur sein?	Hand suchend oberhalb der Augen halten.
Wo kann es nur sein?	
Ist vielleicht ganz ängstlich	Arme vor der Brust verschränken und sich die Arme reiben
und auch ganz allein.	(wie beim Frieren) und ängstlich schauen.
Strophe 3	
Kommt der gute Hirte,	Mit beiden Fäusten schwere, stapfende Bewegungen auf den Beinen des Kindes machen.
sucht es überall,	Hand suchend oberhalb der Augen halten, dabei mal nach
sucht es überall.	links, mal nach rechts drehen.
Findet es dann wieder,	Freudig in die Hände klatschen und dann mit beiden Händen
bringt es in den Stall.	ein Dach formen.
Strophe 4	
Alle meine Schäfchen	Hände vor den Oberkörper halten, mit den Fingern wackeln.
machen mäh, mäh, mäh,	Mit allen Fingern über den Bauch des Kindes krabbeln
machen mäh, mäh, mäh.	(und beim Singen das „mäh" ein wenig meckern).
Sind wieder zusammen	Mit den Fingern hüpfende, stupsende Bewegungen
und springen in die Höh'!	auf dem Bauch des Kindes machen.

Aktion 2 – Basteln: Die Kinder dürfen sich genauso ein Schäfchen basteln wie in der Geschichte. Dazu bekommt jedes Kind eine Druckvorlage (s. Downloads) zum Ausschneiden. Die größeren Kinder schneiden ihre Schafe selbst aus, die kleineren werden durch die Erwachsenen unterstützt.

Eine Mitarbeiterin / ein Mitarbeiter schneidet für den Schafskörper passende Stücke doppelseitiges Klebeband zu und verteilt diese an die Kinder bzw. Eltern. Diese kleben das doppelseitige Klebeband auf den Schafskörper, vorn und hinten je ein Stück (falls in der Vorbereitung noch nicht geschehen). Danach ziehen die Kinder die Schutzfolie ab und können die Watte an die Klebefläche drücken und festkleben. Wenn noch etwas Zeit bleibt, kann nach dem Basteln das Fingerspiel wiederholt werden.

Vaterunser mit Bewegungen: Siehe Abschnitt „Vaterunser mit Bewegungen".

Segen mit Bewegungen: Siehe Abschnitt „Segen".

Abkündigungen: Nach dem Segen wird auf den nächsten Termin der Krümelkirche hingewiesen – und natürlich bei Bedarf auf weitere Angebote der Gemeinde, die das gesamte Gemeindeleben und besonders Familien mit Kindern betreffen. Außerdem wird abgekündigt, dass wie in jedem Krümelgottesdienst der Einleger im Liedblatt mit nach Hause genommen werden darf und am Ausgang Flyer mit den Krümelterminen ausliegen.

Mitgebsel: Das Mitgebsel entsteht bei Aktion 2 in Form des gebastelten Schäfchens.

Segenslied mit Bewegungen: Siehe Abschnitt „Segenslieder".

Musik zum Abschluss

Impuls für die Erwachsenen

Vom Suchen und Finden

„Wo ist denn schon wieder der Schnuller?“ oder „Hast du meinen Schlüssel gesehen?“ – Fragen, die uns wahrscheinlich nicht fremd sind. Und wie froh sind wir erst, wenn die gesuchten Dinge dann auch wieder auftauchen! Gerade dann, wenn wir lange gesucht haben oder uns eine Sache besonders wichtig ist, ist das Gefühl der Erleichterung besonders groß. Da hört man den Stein, der vom Herzen fällt, so richtig laut plumpsen.

Im Neuen Testament geht es auch um das Suchen und Finden. Hier wird ein besonders schönes Bild gebraucht: Jesus als der gute Hirte, der auf uns – die Schafe – aufpasst. Er hat im Blick, wie es uns geht. Und wenn mal eines verloren geht, dann sucht er unermüdlich und hört nicht auf zu suchen, bis er es gefunden hat. Die Freude ist dann riesengroß. So wichtig sind wir ihm – jede und jeder Einzelne von uns!

In dem Lied „Weißt du wie viel Sternlein stehen“ wird das so beschrieben:

Weißt du, wieviel Sternlein stehen an dem blauen Himmelszelt?
Weißt du, wieviel Wolken gehen weithin über alle Welt?
Gott, der Herr, hat sie gezählet,
dass ihm auch nicht eines fehlet
an der ganzen großen Zahl,
an der ganzen großen Zahl.
(Evangelisches Gesangbuch, Nr. 511)

JESUS GEHT EINEN SCHWEREN WEG

JESUS GEHT EINEN SCHWEREN WEG

Überblick

Bibelstelle: Lukas 22 – 24 (in Auszügen)

Kurzbeschreibung: Die Kinder erleben in fünf Stationen die letzten Tage im Leben Jesu vom Einzug in Jerusalem (Palmsonntag) bis hin zu seiner Auferstehung (Ostern):

1. Einzug in Jerusalem
2. Abendmahl und Abschied von den Jüngern
3. Im Garten Gethsemane
4. Jesus stirbt am Kreuz und wird begraben
5. Am Ostermorgen

Der Gottesdienst findet anders als sonst statt. Das betrifft in Teilen den Ablauf, aber auch die räumliche Anordnung. Vom Modell her kann man sich diesen Gottesdienst als eine Miniaturausgabe eines Kinderkreuzwegs vorstellen. Die Gottesdienstgemeinde durchläuft und erlebt diese fünf Stationen. Mit jeder Station und damit jedem Erzählabschnitt wechselt auch die Erzählerin / der Erzähler. Das signalisiert dann auch deutlich den Szenenwechsel. Jesus selbst wird in der Geschichte nicht als Person dargestellt, sondern als große, brennende Kerze (Jesuskerze).

Schönes und Schweres fließt in diesem Entwurf zusammen – beides können die Kinder hier erleben. Leiden und Tod Jesu wollen wir nicht ausklammern, doch die Bewegung geht bewusst hin bis zum Ostermorgen. Auch wenn die Geschichte nicht von allen Altersgruppen verstanden wird, ist sie ein elementarer Bestandteil der Bibel und des christlichen Glaubens, den wir früh und auch altersgerecht an Kinder herantragen wollen.

Ein wichtiger Hinweis: In diesem Gottesdienst wird auch vom Abendmahl erzählt und alle erhalten ein Stück Fladenbrot. Dies soll aber nicht als Abendmahlsfeier verstanden werden, sondern lediglich als Erinnerung an das letzte gemeinsame Essen von Jesus und seinen Jüngern.

Materialaufwand: hoch

Vorbereitung: hoher Aufwand

Aufgaben: je 1 Person für Musik, Liturgie und Aktion, 3 Personen für die Geschichte (1 Erzählerin/Erzähler, 2 für weitere Aufgaben)

Material Geschichte: 1 große Kerze (Jesuskerze); 1 Esels-Handpuppe; Papphocker oder Stühle, alternativ Stadttor-Kulisse; Zweige; 2 Vasen; Schere; kleine Pullover- und Stoffstücke; große Sitzteppiche (alternativ: Teppich-Sitzfliesen); 1 Tisch mit weißem Tischtuch; Fladenbrot; Trauben; 1 Bund mit Kräutern; Kelch; Saft; 1 Tuch zum Abdecken der Speisen; 1 Tisch mit schwarzem (Tisch-) Tuch; 1 Kreuz; 4 Backsteine (oder Pflastersteine); 1 Taschenlampe; 1 gelbes Tuch; Streichhölzer; extra Liedblatt mit folgenden Liedern: „Jesus zieht in Jerusalem ein" (Kommt und Singt, Nr. 356), „Lasst uns miteinander (Kanon)" (Kommt und Singt, Nr. 584).

Material Aktion: 1 Druckvorlage je Kind (leeres Grab mit Stein, Druckvorlage s. Downloads), Basteltische, Scheren, Buntstifte, Musterklammern, 1 – 2 Bürolocher, ein fertig gebasteltes und angemaltes leeres Grab

Material Mitgebsel: Das Mitgebsel ist das leere Grab, das in der Aktion gebastelt wird (Druckvorlage s. Downloads).

Thematisches Lied: Jesus lebt, ich freue mich (Kommt und Singt, Nr. 132)

Vorbereitung

- Station 1: Zweige schneiden; Kerze, kleine Pullover- und Stoffstücke vorbereiten; Stühle und Papphocker als Weg aufbauen; Stadtmauer andeuten; Vasen mit Zweigen links und rechts am Weg aufstellen, ebenso kleine Haufen mit den Kleidungs- und Stoffstücken auslegen.
- Station 2: Tisch mit weißem Tischtuch aufstellen, darauf die Speisen und Getränke usw. bereitstellen; alles mit einem Tuch abdecken.
- Station 4: Tisch mit schwarzem Tuch vorbereiten, darauf das Kreuz stellen. Daneben, nicht gleich sichtbar, vier Backsteine legen.
- Station 5: Besteht aus dem Tisch von Station 4. Deshalb bei diesem Tisch etwas abseits auch das gelbe Tuch und die Taschenlampe parat legen.
- In der Raummitte außerdem große Teppiche (alternativ: Teppich-Sitzfliesen) für die Gemeinde und einen kleinen Altar vorbereiten.
- Bei Bedarf müssen die Basteltische aufgebaut werden, außerdem muss das Material für die Aktion bereitgestellt werden.
- Sowohl die Vorbereitung im Vorfeld als auch die Vorbereitung des Raums vor dem Gottesdienst beansprucht bei diesem Thema deutlich mehr Zeit als sonst. Deshalb empfiehlt es sich, dass sich das Krümelteam mindestens 90 Minuten vor der Krümelphase trifft.

Gottesdienstablauf

Klangschale und Begrüßung: „Herzlich willkommen euch allen zu unserem Krümelgottesdienst mit dem Thema ‚Jesus geht einen schweren Weg‘. Wie ihr seht, ist heute Manches anders. Wir werden heute gemeinsam einen besonderen Gottesdienst erleben und jetzt erst einmal auf die Musik hören. Dazu setzen wir uns auf die Teppiche in der Mitte."

Musik und Eingangswort: „Wir feiern Gottesdienst und mit uns feiert Gott, der Vater (erste Kerze anzünden) und der Sohn (zweite Kerze anzünden) und der Heilige Geist (dritte Kerze anzünden). Amen."

Begrüßungslied: Siehe Abschnitt „Begrüßungslieder".

Aus Zeitgründen kann in diesem Gottesdienst auf das Einsetzen aller Namen im Lied verzichtet werden. Stattdessen könnte mit der ersten Strophe begonnen werden. Im Anschluss daran werden alle Kinder mit Namen direkt hintereinander genannt und begrüßt: „Schön, dass ihr alle da seid!" Vom Begrüßungslied wird danach noch mit einer allgemeinen Strophe abgeschlossen.

Kinderkreuzweg: „Wir machen uns nun gemeinsam auf den Weg. Es ist der Weg, den Jesus in seinen letzten Tagen, als er lebte, gegangen ist. Und da war Schönes und Leichtes dabei, aber auch Trauriges und Schweres. Kommt einfach mal mit." (Aufforderung, aufzustehen und mitzukommen.)

Station 1 – Einzug in Jerusalem: Eine Mitarbeiterin / ein Mitarbeiter führt die Gruppe an und beginnt zu erzählen. Sie nimmt eine große, brennende Kerze in die Hand und läuft langsam los.

„Jesus ist zusammen mit seinen Freunden auf dem Weg nach Jerusalem. (Eine Mitarbeiterin / ein Mitarbeiter hält die brennende Jesuskerze sichtbar für alle hoch.) Sie kommen an einem Dorf vorbei. Jesus schickt zwei seiner Freunde ins Dorf hinein. Sie sollen dort einen jungen Esel holen. (Zwei Mitarbeitende werden etwas abseits geschickt, um eine Esels-Handpuppe zu holen.) Und tatsächlich: In dem Dorf finden die Freunde alles so vor, wie Jesus es ihnen beschrieben hatte. Sie finden den Esel, binden ihn los und bringen ihn zu Jesus. (Die zwei Mitarbeitenden kommen mit der Esels-Handpuppe zurück.)

Jesus freut sich, als die zwei Freunde mit dem Esel wieder zu ihm kommen. Er setzt sich auf den Esel und reitet los, die Freunde begleiten ihn. Inzwischen sind auch noch viele andere Menschen mit ihnen unterwegs. Eine große Menschenmenge bewegt sich auf Jerusalem zu. Sie alle wollen bei dem jährlichen Passafest dabei sein. (Die Gruppe bewegt sich langsam vorwärts, bis zu einem großen Tor, angedeutet mit Papphockern oder entsprechend gestellten Stühlen – im Idealfall mit einer Kulisse.) Als sie dann in die große Stadt Jerusalem hineinkommen, nehmen viele Leute ihre Umhänge und Mäntel und legen sie vor Jesus auf die Straße. (Zwei Mitarbeitende legen kleine Pullover- und Stoffstücke vor der sich bewegenden Gruppe auf den Weg.) Das sieht aus wie ein bunter, langer Teppich. Und Jesus reitet auf dem Esel über diesen Teppich von Kleidern – wie ein echter König. Und so begrüßen ihn auch die ganzen Leute.

Am Straßenrand haben sich schon viele Menschen versammelt und jubeln. Sie brechen grüne Zweige von den Bäumen, winken Jesus zu und rufen laut: ‚Hosianna! Willkommen, König!' Die Menschen sind überzeugt, dass Jesus der König ist, der allen Menschen Frieden bringen wird. Und immer mehr Leute rufen laut ‚Hosianna!' und singen und tanzen vor Freude. (Zwei Mitarbeitende nehmen aus Vasen die vorbereiteten Zweige und bleiben am Rand stehen, wedeln und rufen ‚Hosianna'. Die Gruppe wird aufgefordert, das auch zu tun.) Und wir wollen jetzt auch zusammen singen!"

Lied: Jesus zieht in Jerusalem ein, 1. Strophe (Kommt und Singt, Nr. 356)

Station 2 – Abendmahl und Abschied von den Jüngern: Nach dem Lied deutet eine Mitarbeiterin / ein Mitarbeiter auf den großen Teppich in der Mitte und bittet alle, sich hinzusetzen. Die Blickrichtung soll dabei auf einen Tisch gehen, der mit einem Tuch abgedeckt ist. Sobald alle sitzen, wird der Tisch enthüllt. Darauf liegen ein Fladenbrot, Trauben, ein Bund mit Kräutern als Andeutungen auf das Passahmahl und ein Becher, evtl. gefüllt mit Traubensaft. Die große, brennende Kerze wird mit auf den Tisch gestellt.

„Jetzt sitzt Jesus mit seinen Freunden gemeinsam am Tisch. Er ist gedeckt mit leckeren Speisen. Jesus freut sich, dass sie alle zusammen sind und nimmt das Brot in die Hand. Er betet und sagt Gott Danke für das Essen – und dass sie alle zusammen sind. (An dieser Stelle kann von der Erzählerin / vom Erzähler ein kurzes (Tisch-)Gebet gesprochen werden.) Dann bricht Jesus das Brot in Stücke und gibt es seinen Freunden. Alle bekommen etwas. Die Freunde spüren, dass das ein besonderer Moment ist – irgendetwas ist anders an diesem Abend. (Die Erzählerin / der Erzähler bricht das Fladenbrot in Stücke und reicht es den Familien weiter, die anderen Mitarbeitenden helfen beim Verteilen. Die Erwachsenen nehmen es entgegen, verteilen es innerhalb ihrer Familie und geben wieder ein Stück weiter.) Jesus sagt zu seinen Freunden: ‚Das ist mein letztes Abendessen mit euch – und auch das letzte Mal, dass ich das Passafest mit euch feiern kann. Bald werde ich sterben. Aber seid nicht traurig, nach diesem dunklen Tag kommen auch wieder helle und schöne und fröhliche Tage. Nehmt dieses Brot von mir. Das ist für euch. In diesem Brot bin ich euch ganz nah.' (Die Erzählerin / der Erzähler nimmt den Becher in die Hand.)

Danach nimmt Jesus einen Becher und sagt zu seinen Freunden: ‚„Wenn ihr diesen Wein trinkt, dann denkt immer daran, dass ich bei euch bin – jetzt und immer und alle Tage! Ich hab euch lieb – so wie auch Gott euch von Herzen liebt.' Und Jesus und seine Freunde essen und trinken gemeinsam: Sie essen das Brot und trinken den Wein. Sie reden und lachen. Sie sind froh, dass sie sich haben und danken Gott für alles, was sie gemeinsam erlebt haben. (Das Obst vom Tisch wird noch verteilt.)"

Station 3 – Im Garten Gethsemane: Ein Stück weiter erzählt die nächste Mitarbeiterin / der nächste Mitarbeiter weiter. Die Mitarbeiterin / der Mitarbeiter mit der Kerze tritt dazu. Die Gottesdienstgruppe muss sich dazu auf dem Teppich ein wenig weiterdrehen – bleibt aber sitzen.

„Das Fest ist vorbei. Schön war der gemeinsame Abend von Jesus und seinen Jüngern. Das Abendessen mit Brot und Wein ist ein ganz besonderes Abendessen gewesen. Inzwischen ist es später Abend. Draußen ist es dunkel, viele Menschen schlafen schon. (Die Erzählerin / der Erzähler spricht und läuft dabei langsam ein Stück weiter. Die Mitarbeiterin / der Mitarbeiter mit der Kerze und ein bis zwei weitere Mitarbeitende laufen mit.)

Jesus geht mit seinen Freunden durch die dunklen Straßen von Jerusalem. Bis sie zu einem Garten kommen, dem Garten Gethsemane. Dort geht Jesus zusammen mit seinen Freunden hinein, in die Dunkelheit von Bäumen und Büschen. Man hört die Grillen und leises Vogelgezwitscher. Die Tiere gehen eines nach dem anderen schlafen.

An einer Stelle im Garten bleibt Jesus stehen und sagt zu seinen Freunden (die Erzählerin / der Erzähler wendet sich den Mitarbeitenden hinter sich zu): ‚Bleibt hier und bleibt wach – und betet mit mir!‘ Und Jesus geht ein paar Schritte weiter und betet selbst auch. Er hat Angst vor allem, was kommt. Aber er weiß auch, dass Gott sein Gebet erhört und ihn nicht allein lässt.

(Die Erzählerin / der Erzähler wendet sich den Kindern und Erwachsenen zu) Lasst uns gemeinsam unser Gebet sprechen, das wir aus unseren Gottesdiensten kennen. Wir stehen dazu auf!“

Gebet mit Bewegungen: Siehe Abschnitt „Gebet mit Bewegungen“.

(Die Erzählerin / der Erzähler erzählt weiter.) „Als Jesus wieder zurück zu seinen Freunden kommt, sind sie eingeschlafen. Das macht Jesus traurig. (Die Mitarbeitenden, die mit unterwegs waren, liegen am Boden und schlafen.) Plötzlich wird es laut im Garten Gethsemane – und hell. Soldaten kommen mit Fackeln und Waffen. Sie nehmen Jesus gefangen. Und seine Freunde? Die bekommen ganz schreckliche Angst und rennen schnell weg. Sie lassen Jesus allein. (Die Mitarbeitenden, die zuvor geschlafen haben, gehen weg. Kurze Stille halten.)“

Station 4 – Jesus stirbt am Kreuz und wird begraben: Die Erzählerin / der Erzähler steht ein Stück weiter entfernt von Station 3. Die Gruppe muss sich wieder ein wenig drehen, um dem Geschehen folgen zu können. Die Mitarbeiterin / der Mitarbeiter mit der Kerze steht daneben.

„Es gibt böse Menschen in Jerusalem, die Jesus nicht leiden können und schlecht finden, was er tut und sagt. Sie wollen, dass Jesus stirbt. Und sie überreden viele andere Menschen, dass sie das auch so sehen. Und so passiert es. Am nächsten Tag, dem Karfreitag, soll Jesus sterben. Jesus selbst ist sehr traurig darüber und hat auch große Angst. Und doch weiß er, dass Gott bei ihm ist und ihn nicht allein lässt, egal was kommt. Jesus betet: ‚Gott, ich hab große Angst. Aber ich weiß, dass du mich liebst und mich nicht allein lässt! Gib mir Kraft und Mut für das, was kommt.'

Von Soldaten wird Jesus an ein großes Kreuz genagelt, zusammen mit zwei Verbrechern. (Die Erzählerin / der Erzähler deutet auf das Kreuz auf einem Tisch, der mit einem schwarzen Tuch als Tischdecke bedeckt ist. Die brennende Kerze wird darauf abgestellt.) Am Nachmittag wird es auf einmal stockdunkel im ganzen Land. Jesus ist tot. (Zwei Mitarbeiterinnen/Mitarbeiter verdunkeln mit Vorhängen etwas den Raum. Die Erzählerin / der Erzähler löscht die Jesus-Kerze neben dem Kreuz.)

Jesus wird in ein Grab gelegt. Ein großer, schwerer Stein wird vor das Grab gerollt. So ist das Grab verschlossen. (Die vier Backsteine, die neben dem Tisch mit dem Kreuz liegen, werden nun neben dem Kreuz aufgebaut: einer links, einer rechts, einer oben, der auf beiden ein wenig aufliegt. Und der vierte Stein wird dann vor die Öffnung gelegt.)"

Station 5 – Am Ostermorgen: (Die Erzählerin / der Erzähler steht an derselben Stelle wie bei Station 4 – allerdings auf der anderen Seite des Tisches. Das Kreuz ist weg, es ist nur noch das Grab zu sehen und die ausgelöschte Kerze.)

„Es ist Ostermorgen. Es wird langsam hell, die Sonne geht auf. (Zwei Mitarbeiterinnen/Mitarbeiter ziehen die Vorhänge auf.) Zwei Frauen machen sich auf den Weg zum Grab. Sie sind traurig, ihre Herzen sind schwer. Auch die aufgehende Sonne macht sie nicht fröhlich. Jesus ist tot – wie kann man da jemals wieder fröhlich sein? Sie vermissen Jesus sehr. Und sie fragen sich, wo Jesus jetzt wohl ist, wenn er tot ist. Bei Gott?

Die Frauen überlegen sich, wie sie den schweren Stein vom Grab wegbekommen sollen. Sie bräuchten eigentlich ein paar starke Männer, die ihnen dabei helfen. Langsam und mit schweren Schritten kommen sie dem Grab näher. (Eine Mitarbeiterin / ein Mitarbeiter stellt sich vor den Tisch. Sie/er nimmt den Stein vom Grab weg, legt eine helle Lampe von hinten durch die Öffnung und ein gelbes Tuch vor die Graböffnung auf die schwarze Tischdecke.) Doch was ist das? Der Stein ist weggewälzt vom Grab. Was ist denn da nur passiert? Wer war das? Die zwei Frauen gehen vorsichtig zum Grab hin und schauen hinein. Dann erschrecken sie, weil plötzlich ein Engel neben ihnen steht. Der Engel sagt zu ihnen: ‚Habt keine Angst! Jesus ist nicht mehr im Grab, er ist nicht mehr tot. Er lebt! Gott hat ihm ein neues, anderes Leben geschenkt!' (Die Jesuskerze wird wieder angezündet.) Da sind die Frauen ganz aufgeregt und durcheinander. Aber sie freuen sich so sehr über diese Nachricht. Und sie laufen so schnell sie können zurück nach Hause.

Ihr erster Weg führt sie direkt zu den Freunden von Jesus. Ganz außer Atem kommen sie bei ihnen an und rufen: ‚Jesus lebt! Er ist nicht tot. Seid nicht traurig! Das Grab ist leer. Wir haben es mit eigenen Augen gesehen. Gott hat ihm neues Leben geschenkt!' Und alle, die das hören an diesem Ostermorgen, freuen sich und loben Gott. Was für eine schöne Osternachricht: Jesus lebt! Und wir singen jetzt auch fröhlich miteinander."

Lied: Lasst uns miteinander (Kanon) (Kommt und Singt, Nr. 584)

Aktion – Basteln: Als Aktion wird das Grab bzw. das leere Grab gebastelt. Dazu wird die Druckvorlage des Grabes (Vorlage und Bastelbeispiel s. Downloads) ausgeschnitten, ebenso der extra Stein. An zwei dafür vorgesehenen Stellen am Grab und am Stein wird mit einem Bürolocher ein Loch gestanzt. Mithilfe einer Musterklammer wird der Stein am Grab befestigt. Dadurch kann das Grab immer wieder geöffnet und geschlossen werden. Wenn noch Zeit bleibt, kann das Gebastelte angemalt werden. Die Kinder dürfen dieses Oster-Klapp-Bild am Ende des Gottesdienstes als Mitgebsel mit nach Hause nehmen.

Thematisches Lied: Jesus lebt, ich freue mich (Kommt und Singt, Nr. 132).

Vaterunser mit Bewegungen: Siehe Abschnitt „Vaterunser mit Bewegungen".

Segen mit Bewegungen: Siehe Abschnitt „Segen".

Abkündigungen: Nach dem Segen wird auf den nächsten Termin der Krümelkirche hingewiesen – und natürlich bei Bedarf auf weitere Angebote der Gemeinde, die das gesamte Gemeindeleben und besonders Familien mit Kindern betreffen. Außerdem wird abgekündigt, dass wie in jedem Krümelgottesdienst der Einleger im Liedblatt mit nach Hause genommen werden darf und am Ausgang Flyer mit den Krümelterminen ausliegen.

Mitgebsel: Das Mitgebsel entsteht bei der Aktion in Form des Oster-Klappbildes.

Segenslied mit Bewegungen: Siehe Abschnitt „Segenslieder".

Musik zum Abschluss

Impuls für die Erwachsenen

Jesu Leidensgeschichte als Trostgeschichte

Über das Leiden Jesu mit Kindern nachdenken? Ergibt das Sinn? Sollten wir sie nicht verschonen vor dem Schlimmen in der Welt? Schön wäre, wir könnten das! Aber Kinder kennen von Anfang an Traurigkeit, Angst und Ohnmacht – auch wenn sie diese Gefühle nicht benennen können.

Und so ist die Leidensgeschichte Jesu auch eine Trostgeschichte. Denn sie erzählt uns: Du bist in deiner Traurigkeit, Angst und Ohnmacht nicht allein! Denn Jesus selbst ist diesen Weg gegangen: Er war traurig, dass seine Freunde nicht wach bleiben konnten beim Gebet. Er hatte Angst, als er ans Kreuz genagelt wurde. Er fühlte sich ohnmächtig, als ihn alle verlassen haben. Aber: Mit seiner Auferstehung hat er all das überwunden – nicht nur für sich, sondern für uns.

Als Christen glauben wir, dass mit dem Tod nicht alles zu Ende ist. Wir glauben, dass auch wir auferstehen und leben werden. Anders als hier auf der Erde. Befreit von allem, was uns hier das Leben schwergemacht hat. Und das hat auch Auswirkungen auf unser Leben heute. Denn wir glauben, dass da einer ist, der unser Leben so gut kennt wie keine andere / kein anderer – mit all seinen Höhen und Tiefen. Wir vertrauen darauf, dass wir uns in allen Momenten unseres Lebens und mit ganz unterschiedlichen Gefühlen an ihn wenden können. Und wir leben in der Gewissheit, dass er für uns alles aus dem Weg geräumt hat, was uns von ihm trennen könnte.

GOTT IST IMMER FÜR MICH DA

GOTT IST IMMER FÜR MICH DA

Überblick

Bibelstelle: In der Erzählung steht keine spezifische Bibelstelle im Zentrum. Zur Thematik passen folgende zwei Bibeltexte sehr gut:

- Psalm 139,5
- Römer 8,38-39

Kurzbeschreibung: Wenn wir glauben, vertrauen wir darauf, dass Gott immer an unserer Seite ist. Das wird den Kindern mithilfe einer Lebensspirale deutlich gemacht. Sie begleiten in der Geschichte die Figur Emma von der Geburt bis zum Tod und stimmen immer wieder in den Satz mit ein: „Gott kennt mich. Er ist immer für mich da.“ Dabei auch den Tod mit in den Blick zu nehmen, ist auf den ersten Blick eine Herausforderung – aus der Sicht mancher vielleicht sogar eine Überforderung in einem Kleinkindgottesdienst. Mit Kindern schon früh und altersgerecht über den Tod zu sprechen und ihn nicht zu tabuisieren, ist für die Entwicklung eines Kindes jedoch wichtig und hilfreich.

Materialaufwand: mittel

Vorbereitung: mittlerer Aufwand

Aufgaben: je 1 Person für Musik, Liturgie, Geschichte und Aktion

Material Geschichte: (Playmobil-)Figuren und Gegenstände für 6 Lebensstationen:

1. 1 Wiege mit Baby
2. 1 kleines Mädchen mit 1 Spielzeug
3. 1 kleines Mädchen mit Schultüte
4. 1 Frau mit 1 Krankenbett
5. 1 Frau, 1 Mann und 2 Kinder
6. 1 alte Frau mit Gehstock

(Anmerkung: Das kleine Mädchen von Station 2. und 3. hat dieselbe Haarfarbe und Frisur. Die Frau von Station 4. und 5. ist identisch, einmal ist sie schwanger und einmal nicht.)
8 Teelichter in Gläsern, alternativ 8 batteriebetriebene Teelichter; Streichhölzer bzw. ein Stabfeuerzeug; 1 kleines Holzkreuz, alternativ 1 Papierkreuz; 1 langes Tuch (evtl. auch mehrere Tücher in derselben Farbe), womit eine Spirale auf den Boden gelegt werden kann

Material Aktion:	1 Druckvorlage der Lebensspirale je Kind (festes DIN-A4-Papier, s. Downloads), 1 Bildstreifen mit den Lebensstationen je Kind (muss vorab fotografiert und erstellt werden, ggf. auf Aufkleberpapier drucken), Klebstoff (falls die Bildstreifen nicht auf Aufkleberpapier gedruckt sind), Scheren, Basteltische
Material Mitgebsel:	Das Mitgebsel ist die Lebensspirale, die in der Aktion gebastelt wird (Druckvorlage s. Downloads).
Thematisches Lied:	Er hält die ganze Welt in seiner Hand (Kommt und Singt, Nr. 610)

Vorbereitung

- Einen großen Teil der Vorbereitung nimmt die Zusammenstellung der Figuren für die einzelnen Lebensstationen und dann auch besonders das Fotografieren und die Erstellung der Druckvorlage im Vorfeld des Gottesdienstes ein.
- Hinweis zum Bildstreifen mit den Lebenssituationen: Hier gilt es, die sechs Szenen der Geschichte einzeln zu fotografieren und als Bildstreifen nebeneinander anzuordnen. Es sollten sechs Bilder auf ein DIN-A4-Blatt (hochkant) in eine Zeile nebeneinander passen, sodass man auf dem ganzen Blatt sieben Bildstreifen untereinander anordnen kann, also für sieben Kinder das Klebe-Material hat (Bastelbeispiel und Druckvorlage s. Downloads).
- Bei Bedarf müssen die Basteltische aufgebaut werden, außerdem muss das Material für die Aktion bereitgestellt werden.
- Als Vorbereitungszeit vor der Krümelphase sind somit ca. 30 Minuten zu empfehlen.

Gottesdienstablauf

Klangschale und Begrüßung: „Herzlich willkommen euch allen zu unserem Krümelgottesdienst mit dem Thema ‚Gott ist immer für mich da'. Was für ein schöner Satz! Egal was ich erlebe, egal wie es mir geht – Gott ist immer für mich da ... und auch für dich ... und dich ... und dich ... (auf verschiedene Kinder zeigen). Ja, er ist für uns alle da und begleitet uns durchs Leben, vom Anfang bis zum Ende! Zu Beginn hören wir gemeinsam auf die Musik."

Musik und Eingangswort: „Wir feiern Gottesdienst und mit uns feiert Gott, der Vater (erste Kerze anzünden) und der Sohn (zweite Kerze anzünden) und der Heilige Geist (dritte Kerze anzünden). Amen."

Begrüßungslied: Siehe Abschnitt „Begrüßungslieder".

Gebet mit Bewegungen: Siehe Abschnitt „Gebet mit Bewegungen".

Lied mit Bewegungen: Siehe Abschnitt „Lied zwischen Gebet und Geschichte".

Geschichte: In der Mitte wird ein langes Seil/Tuch in Form einer großzügigen Spirale ausgelegt. Jeweils beim Kehrvers „Gott kennt mich. Er ist immer für mich da." wird ein Teelicht in einem Glas aufgestellt und angezündet. Zu jeder Station der Geschichte wird eine einfache Szene mit Figuren und manchmal auch Gegenständen ergänzt.

„Gott kennt dich und dich und dich und mich. Gott kennt uns alle. Und er hat uns lieb. Darüber können wir uns sehr freuen! Gleich erzähle ich euch von Emma. Und immer wieder dürft ihr in der Geschichte die Sätze mitsprechen: ‚Gott kennt mich. Er ist immer für mich da.' Damit fangen wir jetzt auch an: ‚Gott kennt mich. Er ist immer für mich da (erstes Teelicht anzünden).

(An den Beginn der Spirale eine Wiege mit Baby aufstellen.) Das ist Emma. Sie ist noch ganz klein. Vor ein paar Tagen ist sie erst auf die Welt gekommen. Sie schläft viel. Mama und Papa freuen sich sehr. Sie passen gut auf Emma auf. Und sie sind froh, dass auch Gott auf Emma aufpasst. Und auch wir wissen: ‚Gott kennt mich. Er ist immer für mich da' (zweites Teelicht anzünden).

(Das kleine Mädchen mit einem Spielzeug aufstellen.) Emma wird immer größer. Seit ein paar Tagen geht sie in den Kindergarten. Ihre Mama bringt sie jeden Morgen hin. Manchmal weint Emma, wenn ihre Mama wieder heimgeht. Im Kindergarten ist alles noch so fremd und neu. Aber bald lernt Emma neue Freunde kennen. Und sie freut sich aufs Spielen. Wie gut, dass Emma nicht allein ist. Gott ist für sie da. Und auch wir wissen: ‚Gott kennt mich. Er ist immer für mich da' (drittes Teelicht anzünden).

(Das Mädchen mit Schultüte aufstellen.) Emma kommt in die Schule. Das ist ganz schön aufregend. Emma freut sich auf ihr Klassenzimmer und auf ihre Lehrerin und ihren Lehrer.

Und sie will ganz viel Neues lernen. Und vielleicht darf sie ja sogar bald ganz allein in die Schule laufen. Aber da muss sie gut aufpassen. Denn die Autos und der Straßenverkehr sind ganz schön gefährlich. Und Emma soll bloß nichts Schlimmes passieren. Gott passt auf sie auf. Und auch wir wissen: ‚Gott kennt mich. Er ist immer für mich da' (viertes Teelicht anzünden).

(Die Frau mit Krankenbett aufstellen.) Emma ist fertig mit der Schule. Sie lernt einen Beruf. Sie will Krankenschwester werden. Da kann sie sich gut um andere Menschen kümmern. Sie verteilt Medizin. Sie hilft den kranken Menschen beim Essen. Sie wechselt den Verband. Sie ist einfach immer da, wenn jemand Hilfe braucht. Gott lässt Emma auch beim Arbeiten nicht allein. Und auch wir wissen: ‚Gott kennt mich. Er ist immer für mich da' (fünftes Teelicht anzünden).

(Die Frau mit Mann und Kindern aufstellen.) Emma hat geheiratet und Kinder bekommen. Jetzt ist sie selbst Mama. Sie kümmert sich um ihre Kinder, bringt sie in den Kindergarten und freut sich, dass es ihnen gut geht. Sie dankt Gott, dass er sie und ihre Familie begleitet. Auch wir wissen: ‚Gott kennt mich. Er ist immer für mich da' (sechstes Teelicht anzünden).

(Die alte Frau mit Gehstock aufstellen.) Emma ist alt geworden. Ihre Kinder sind schon groß und haben selbst Kinder bekommen. Emma ist Oma. Manchmal tut ihr der Rücken so weh, dass sie kaum aufstehen kann. Und zum Laufen braucht sie jetzt immer einen Gehstock. So kann sie noch allein einkaufen gehen. Das Leben ist mühsamer geworden. Aber Emma spürt: Ich bin nie allein, weil Gott für mich da ist. Und auch wir wissen: ‚Gott kennt mich. Er ist immer für mich da' (siebtes Teelicht anzünden).

(Das Kreuz auslegen.) Fast neunzig Jahre alt ist Emma geworden. Nun ist sie gestorben. Ihre Kinder und Enkelkinder waren bei ihr und haben sich verabschiedet. Emma ist jetzt bei Gott. Sie lebt bei ihm. Nichts tut ihr mehr weh. Nichts ist mehr schwer. Alles ist gut. Und auch wir wissen: ‚Gott kennt mich. Er ist immer für mich da' (achtes Teelicht anzünden, ganz innen im Mittelpunkt der Spirale)."

Aktion – Basteln: „Jede und jeder von euch bekommt nun ein Papier, auf dem ihr noch einmal diese Spirale seht, die wir hier bei der Geschichte aufgebaut haben. Wir haben Emma durch ihr Leben begleitet. Dazu bekommt ihr noch kleine Bilder, die ihr in der Spirale an die leeren Stellen zwischen den Teelichtern kleben dürft, von der ganz kleinen Emma bis zur alten Oma Emma."

Thematisches Lied: Er hält die ganze Welt in seiner Hand (Kommt und Singt, Nr. 610) mit folgenden Strophen:

- Er hält das winzig kleine Baby ...
- Er hält die Mädchen und die Jungen ...
- Er hält den Papa und die Mama ...
- Er hält den Opa und die Oma ...
- Er hält auch dich und mich ...

Vaterunser mit Bewegungen: Siehe Abschnitt „Vaterunser mit Bewegungen".

Segen mit Bewegungen: Siehe Abschnitt „Segen".

Abkündigungen: Nach dem Segen wird auf den nächsten Termin der Krümelkirche hingewiesen – und natürlich bei Bedarf auf weitere Angebote der Gemeinde, die das gesamte Gemeindeleben und besonders Familien mit Kindern betreffen. Außerdem wird abgekündigt, dass wie in jedem Krümelgottesdienst der Einleger im Liedblatt mit nach Hause genommen werden darf und am Ausgang Flyer mit den Krümelterminen ausliegen.

Mitgebsel: Das Mitgebsel ist die Lebensspirale, die in der Aktion mit Bildern aus der Geschichte beklebt wird.

Segenslied mit Bewegungen: Siehe Abschnitt „Segenslieder".

Musik zum Abschluss

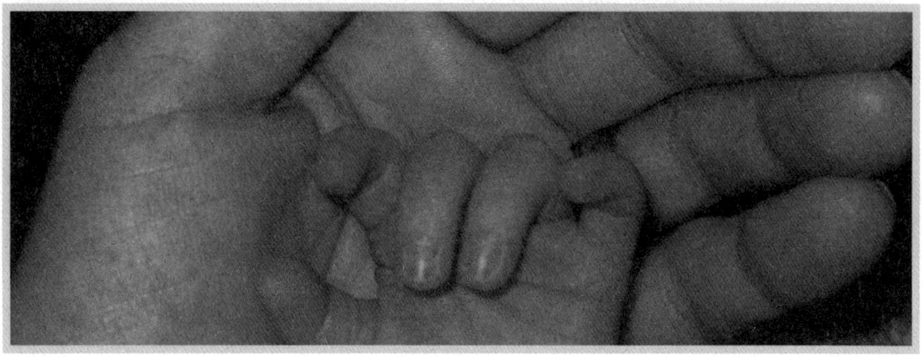

Impuls für die Erwachsenen

Gott ist immer für mich da

Der Lebensweg jedes Menschen ist etwas ganz Einzigartiges. Und mit jedem Lebensweg sind besondere Herausforderungen und Glücksmomente verbunden: Manches Baby hat einen schweren Start ins Leben und braucht mehr Zuwendung als andere. Manches Kindergartenkind hat nie mit Heimweh zu kämpfen, sondern freut sich auf die Zeit mit anderen Kindern. Manches Schulkind hat so viel mehr Freude an seinen Hobbies als an Mathe und Biologie. Mancher Erwachsene versucht, das Gleichgewicht zu finden zwischen Beruf, Familie und eigener Freizeit. Manche Senioren haben das Glück, gemeinsam gesund alt werden zu dürfen. Welche Herausforderungen und Glücksmomente hat Ihr Lebensweg bislang für Sie bereitgehalten? Und worauf hoffen Sie für die Zukunft?

Als Christen vertrauen wir darauf, dass wir unseren Lebensweg nicht allein gehen. Das heißt nicht, dass uns nur Gutes im Leben passieren wird. Unser Glaube an Gott kann nicht verhindern, dass wir wie alle Menschen von Schicksalsschlägen betroffen sind. Unglücke, Krankheit und Tod gehören zum Leben dazu. Aber Gott will uns gerade auch dann nahe sein, wenn es uns schlecht geht. Und mehr noch: In der Taufe verspricht er uns, dass er uns nicht einmal nach unserem Tod von der Seite weicht. Welch ein Segen!

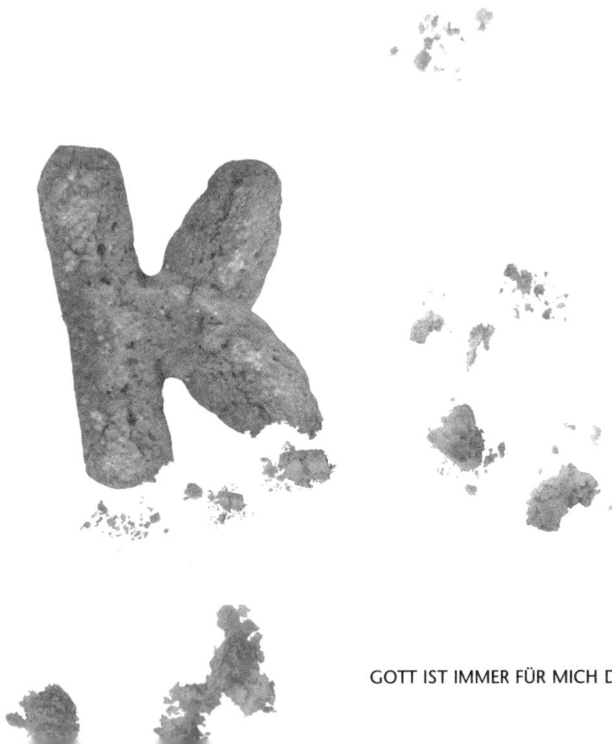

WIR WARTEN –
– DER ERSTE ADVENTSKRANZ

WIR WARTEN – DER ERSTE ADVENTSKRANZ

Überblick

Bibelstelle: In der Erzählung steht keine spezifische Bibelstelle im Zentrum. Zur Thematik passt der Bibeltext aus Johannes 8,12a sehr gut.

Kurzbeschreibung: Warten im Advent und wie der erste Adventskranz entstand, das ist Thema dieses Gottesdienstes. Dabei steht die Person Johann Hinrich Wichern im Mittelpunkt, der in Hamburg im Rauhen Haus für arme Kinder einen Ort der Geborgenheit schuf. Im Rahmen der christlichen Bildung, die er an die Kinder herangetragen hat, erfand er auch den Adventskranz.
Dieser Gottesdienst ist inhaltlich anspruchsvoll und richtet sich eher an die größeren Kinder. Doch auch für die kleineren Kinder ist etwas dabei, denn Handpuppen üben eine eigene Faszination aus auf Groß und Klein.

Materialaufwand: mittel (Achtung: Holzkreis frühzeitig beschaffen)

Vorbereitung: geringer Aufwand

Aufgaben: je 1 Person für Liturgie, 3 Personen für die Geschichte, 2 Personen für die Aktion

Material Geschichte: 2 Handpuppen (1 Junge und 1 Mädchen); 2 Kuscheldecken für die Handpuppen (als Andeutung für die Situation im Bett am Abend); 20 kleine, rote Kerzen (Stumpenkerzen, Durchmesser ca. 4 cm, Höhe ca. 10 cm); 4 große, weiße Kerzen (größere Stumpenkerzen als die roten!); 1 Holzkreis mit Platz für 24 Kerzen, alternativ 1 grüner Kreis aus Tonpapier/Pappe, bestehend aus 4 Teilen, die dann zusammengesetzt werden zu einem großen Kreis – oder einfach aus vielen kleinen grünen Zweigen einen großen Kreis legen; mehrere kleine, grüne Zweige;
1 kleiner Adventskranz mit 4 Kerzen (schon zum Gottesdienstbeginn auf dem Altar)

Material Aktion: 1 kleine, rote Stumpenkerze je Kind (20 aus der Geschichte plus weitere Anzahl, je nach durchschnittlicher Kinderzahl im Krümelgottesdienst), Wachsplatten zum Verzieren der Kerzen, kleine Ausstecherformen (als Motive für die Wachsplatten), Büroklammern oder stumpfe Stricknadeln (um Umrisse für eigene Motive auf den Wachsplatten zu ritzen; Achtung bei Kleinkindern!), Basteltische und Bastelunterlagen dafür, 1 fertig gebastelte bzw. verzierte Kerze

Material Mitgebsel: Das Mitgebsel ist die selbst verzierte Kerze, die in der Aktion gebastelt wird.

Thematisches Lied: Wir sagen euch an den lieben Advent (Kommt und Singt, Nr. 30)

Vorbereitung

- Die Stumpenkerzen (für die Geschichte und später dann für die Aktion) sollten rechtzeitig besorgt werden. Ab Oktober wird man in den Drogerie- oder Baumärkten auf jeden Fall fündig und kann günstig einkaufen.
- Die Geschichte ist sicher der zeitintensivste Punkt in der Vorbereitung. Weitgehend auswendig spielen wäre ein guter Vorsatz, ist aber in der Realität nicht immer möglich. Empfehlenswert ist deshalb, das Anspiel mit den beiden Puppen und der Erzählerin / dem Erzähler wenigstens einmal, besser zweimal vor dem Gottesdienst durchzuspielen. Dafür reichen 20 Minuten.
- Bei Bedarf müssen die Basteltische aufgebaut werden, außerdem muss das Material für die Aktion bereitgestellt werden.
- Die Probe der Geschichte mit eingeplant sind als Vorbereitungszeit vor der Krümelphase des Gottesdienstes ca. 45 Minuten zu empfehlen.

Gottesdienstablauf

Klangschale und Begrüßung: „Herzlich willkommen zu unserem Krümelgottesdienst mit dem Thema ‚Wir warten – Der erste Adventskranz‘. Wer von euch kann denn gut warten und hat ganz viel Geduld? (Antworten abwarten. Vielleicht berichten manche Kinder davon, wie schwer es ihnen fällt, zu warten.) Seht ihr, das ist gar nicht so einfach, das mit dem Warten. Ob beim Arzt im Wartezimmer, im Supermarkt an der Kasse oder wenn wir auf unseren Geburtstag warten oder auf Weihnachten! Genau darum geht es heute: um warten und wie der erste Adventskranz entstand. Zu Beginn hören wir auf die Musik.“

Musik und Eingangswort: „Wir feiern Gottesdienst und mit uns feiert Gott, der Vater (erste Kerze anzünden) und der Sohn (zweite Kerze anzünden) und der Heilige Geist (dritte Kerze anzünden). Amen.“

Begrüßungslied: Siehe Abschnitt „Begrüßungslieder“.

Gebet mit Bewegungen: Siehe Abschnitt „Gebet mit Bewegungen“.

Lied mit Bewegungen: Siehe Abschnitt „Lied zwischen Gebet und Geschichte“.

Geschichte: Die Erzählerin / der Erzähler und zwei Mitarbeitende sitzen beieinander. Die beiden Mitarbeitenden spielen die Handpuppen. Diese sind mit einer Decke zugedeckt.

Erzählerin/ Erzähler:	Das hier sind Timo und Marie. Sie sind Geschwister. Es ist der Abend vor dem ersten Advent. Die beiden liegen im Bett unter ihren Decken und können noch nicht einschlafen.
Marie:	Du, Timo, ich bin sooo aufgeregt. Morgen ist der erste Advent! Ob wir da schon unsere Weihnachtsgeschenke bekommen?

Timo:	Ach Quatsch, Marie! Das ist doch nur der erste Advent! Bis Weihnachten dauert es noch gaaaanz lange!
Marie:	Och Mann! Ist das blöd. Ich will aber nicht so lange warten! Ich glaub ich kann auch gar nicht so lange warten. Ich bin so aufgeregt ... ich kann nicht mal einschlafen!
Timo:	(gähnt) Uaaah ... Ich bin ganz schön müde. Komm, lass uns schlafen!
Erzählerin/ Erzähler:	Auch Marie gähnt jetzt und kuschelt sich in ihre Decke. Und weil die beiden doch recht müde sind, schlafen sie schnell ein. Am nächsten Morgen springt Marie fröhlich aus ihrem Bett und weckt ihren Bruder.
Marie:	Timoooo, aufstehen! Komm, lass uns schauen, ob Mama wieder einen Adventskranz aufgestellt hat!
	Der Adventskranz wird von der Erzählerin / vom Erzähler vom Altar geholt und vor den beiden Handspielpuppen aufgestellt.
Erzählerin/ Erzähler:	Timo reckt und streckt sich und krabbelt dann auch aus seinem Bett heraus. Staunend entdecken die beiden den Adventskranz.
Timo:	Wow! Ist der aber schön!
Marie:	Ja! Viel schöner als im letzten Jahr!
Timo:	Und dieses Mal haben wir sogar weiße Kerzen.
Marie:	Ja, das sieht auch schön aus. Aber die roten Kerzen gefallen mir eigentlich besser.
Timo:	Weißt du eigentlich, woher der Adventskranz kommt, Marie?
Marie:	Na, den hat doch Mama gebastelt!
Timo:	Nein! Ich meine, warum so viele Menschen einen Adventskranz haben und jeden Sonntag in der Adventszeit eine Kerze mehr anzünden, bis alle vier Kerzen brennen?
Marie:	Weiß ich nicht. Vielleicht weil es schön aussieht ... und gut riecht!? (schnuppert ein wenig mit ihrer Nase durch die Luft)
Timo:	Letzte Woche hat unsere Lehrerin uns dazu eine Geschichte erzählt.
Marie:	Au ja, erzählst du sie mir auch, Timo?
Timo:	Gern. Also, das war so. Vor über 150 Jahren lebte ein Mann, der hieß Johann Hinrich Wichern in einer Stadt namens Hamburg. Dort wohnte er in einem alten Bauernhaus, in dem er für arme Kinder jeden Sonntag etwas Besonderes machte. Bald wurde das Haus sogar richtig bewohnt von Kindern, denen es zu Hause sehr schlecht ging. Sie bekamen bei Johann Wichern ein Zuhause, hatten es warm und gemütlich – und hatten auch regelmäßig etwas zu essen und zu trinken. Johann Wichern erzählte den Kindern viele Geschichten von Gott. Und die Kinder lernten dort sogar lesen und schreiben, wie in einer Schule.
Marie:	Ein Haus voller Kinder? Das muss ja lustig gewesen sein ... und vor allem auch laut. (hält sich die Ohren zu)
Timo:	Das glaub ich auch. Da war's lustig und laut. Und viele Kinder waren frech ... und haben gelogen und geklaut. Aber Johann Wichern wollte, dass es die Kinder in seinem Haus gut haben. Er wollte ihnen zeigen, dass Gott sie liebhat – so, wie sie sind. Und ganz egal, was sie tun.

Marie: Und was hat das jetzt mit dem Adventskranz zu tun?

Timo: Na, die Kinder waren natürlich alle ungeduldig, als sie merkten, dass bald Weihnachten ist. Wahrscheinlich waren sie so aufgeregt wie du gestern Abend, als du nicht einschlafen konntest. (Marie kichert)

Timo: Na, und dann hatte der Johann Wichern eine tolle Idee: An einem Tag im Herbst besorgte er sich ein großes Wagenrad aus Holz. Und auf das Rad setzte er vier dicke, weiße Kerzen.
Die Erzählerin / der Erzähler setzt die vier großen weißen Kerzen auf das Holzrad.
Und dazwischen stellte er kleinere, rote Kerzen. Immer sechs Stück.
Die Erzählerin / der Erzähler stellt immer zwischen zwei weiße Kerzen sechs kleine rote Kerzen.
Und am Abend des ersten Advents ließ er dieses große Rad von der Decke hängen. Die Überraschung bei den Kindern war natürlich riesengroß, als sie in das Zimmer kamen und dieses neue Ding da von der Decke herabhing, an dem eine der dicken, weißen Kerzen brannte. Und an jedem Wochentag wurde eine der kleinen, roten Kerzen angezündet. So wurde jeden Tag eine Kerze mehr angezündet – bis zum Heiligen Abend. Für jeden Sonntag eine weiße Kerze und für jeden Wochentag eine rote.

Marie: (erstaunt) Ohhh. Das hat bestimmt schön ausgesehen – vor allem, als dann alle Kerzen gebrannt haben und es Heilig Abend war!

Timo: Ja, das denke ich auch.

Marie: (nachdenklich) Irgendwie ist das ja wie ein Adventskalender, oder? Jeden Tag eine Kerze – und wir machen jeden Tag ein Türchen auf.

Timo: Das stimmt – das ist wie ein Adventskalender. Da fällt das Warten bis Weihnachten nicht so schwer. Die Kinder haben sich damals auch sehr darüber gefreut. Kerzen waren für sie ja noch etwas ganz Besonderes. Und jeden Abend haben sie sich unter dem großen Adventskranz versammelt und Lieder gesungen – und Johann Wichern hat ihnen Geschichten aus der Bibel erzählt. Und mit jedem Tag und jeder brennenden Kerze kamen sie Weihnachten ein Stück näher!

Marie: Eine tolle Geschichte von diesem Johann Wichern. Und noch toller, dass er den Adventskranz erfunden hat.

Timo: Ja. Und irgendwann haben die Menschen dann grüne Zweige an das Rad gebunden.
Die Erzählerin / der Erzähler legt grüne Zweige um die Kerzen.
Und wieder andere Menschen haben gedacht, wie schön es doch wäre, auch so etwas zu Hause zu haben. Nur in kleiner. Also haben sie sich etwas überlegt – und so ist unser Adventskranz entstanden. (zeigt auf den kleinen Adventskranz mit den vier Kerzen) Wir haben heute nur noch vier Kerzen – für jeden Sonntag im Advent eine. Und der Adventskranz erinnert uns an das große Wagenrad, das Johann Wichern vor über hundert Jahren für die armen Kinder in der Adventszeit aufgehängt hat!

Gesprächsrunde: Wenn genügend größere Kinder da sind, könnte an die Geschichte noch eine kleine Gesprächsrunde angeschlossen werden. „Ja, so ist das gewesen, vor vielen Jahren in Hamburg, als die Kinder so ungeduldig waren und ihnen das Warten auf Weihnachten so schwer fiel. Und jetzt wisst ihr alle, woher der Adventskranz kommt.

- Johann Wichern suchte rote Kerzen für den Adventskranz aus. Was denkt ihr, warum?
- Wisst ihr, was die Farbe Rot bedeutet? (Liebe, Wärme ...)
- Warum zündet man eigentlich am Adventskranz Kerzen an? (Weil Jesus es hell macht. / Weil Weihnachten ein schönes Fest ist, auf das wir uns freuen. / Weil Gott versprochen hat, es hell zu machen.)"

Aktion – Basteln: „Als Erinnerung an die Geschichte heute darf sich jetzt jedes Kind eine kleine, rote Kerze nehmen. Und wir haben auch unsere Basteltische vorbereitet: Dort dürft ihr zusammen mit euren Eltern eure Kerze mit Wachsplatten verzieren. Ein paar Formen liegen da auch, die könnt ihr benutzen. Und diese Kerze dürft ihr am Ende des Gottesdienstes dann mit nach Hause nehmen."

Thematisches Lied: Wir sagen euch an den lieben Advent (Kommt und Singt, Nr. 30).

Vaterunser mit Bewegungen: Siehe Abschnitt „Vaterunser mit Bewegungen".

Segen mit Bewegungen: Siehe Abschnitt „Segen".

Abkündigungen: Nach dem Segen wird auf den nächsten Termin der Krümelkirche hingewiesen – und natürlich bei Bedarf auf weitere Angebote der Gemeinde, die das gesamte Gemeindeleben und besonders Familien mit Kindern betreffen. Außerdem wird abgekündigt, dass wie in jedem Krümelgottesdienst der Einleger im Liedblatt mit nach Hause genommen werden darf und am Ausgang Flyer mit den Krümelterminen ausliegen.

Mitgebsel: Das Mitgebsel ist die selbst verzierte Kerze, die in der Aktion gebastelt wird.

Segenslied mit Bewegungen: Siehe Abschnitt „Segenslieder".

Musik zum Abschluss

Impuls für die Erwachsenen

Wie der Adventskranz beim Warten hilft

Tannengrün, vier rote Kerzen, vielleicht ein Stoffband oder etwas Schmuck – fertig ist der Adventskranz. Zumindest wie wir ihn heute kennen: An jedem der vier Adventssonntage wird eine Kerze mehr angezündet, bis schließlich alle brennen und das Weihnachtsfest vor der Tür steht. Aber eine ganze Woche zu warten, bis die nächste Kerze angezündet werden darf, ist für Kinder gar nicht so einfach. So lange ist kein Fortschritt zu sehen. Und das Warten fällt von Tag zu Tag immer schwerer. „Mama, Papa, wann dürfen wir endlich die nächste Kerze anzünden?“, fragen sie.

Johann Hinrich Wichern hat wohl mit dieser Frage gerechnet. Für die Kinder aus armen Familien, die im von ihm gegründeten „Rauhen Haus“ ein Zuhause gefunden hatten, erfand er 1839 den ersten Adventskranz. Und der sah noch etwas anders aus als unserer heute: Auf einem großen Wagenrad waren vier große, weiße Kerzen für die Sonntage und dazwischen jeweils sechs kleinere, rote Kerzen für die Werktage befestigt. So durften die Kinder ab dem ersten Advent jeden einzelnen Tag eine weitere Kerze anzünden. Und sie erlebten: Je mehr Licht und Wärme vom Adventskranz ausgeht, desto näher rückt Weihnachten – das Fest der Geburt Jesu, der von sich sagt: „Ich bin das Licht der Welt.“

Mit der Geburt Jesu hatte damals vor 2.000 Jahren die Zeit des Wartens auf den Retter vorläufig ein Ende gefunden. Doch auch heute warten wir wieder – darauf, dass Jesus eines Tages wiederkommen und Gottes Reich für alle sichtbar werden wird. Und bis dahin zünden wir jedes Jahr die Kerzen am Adventskranz an und erzählen vom Licht der Welt.

MIT GOTT SPRECHEN

WIE MIT EINEM FREUND

MIT GOTT SPRECHEN WIE MIT EINEM FREUND

Überblick

Bibelstelle:	In der Erzählung steht keine spezifische Bibelstelle im Zentrum. Als Grundlage für die Auseinandersetzung mit dem Thema „Gebet“ bietet sich aber der Abschnitt aus der Bergpredigt „Vom Beten“ in Matthäus 6 an, insbesondere das Vaterunser in Matthäus 6,9-13.
Kurzbeschreibung:	Dass Gebete uns durch den Alltag begleiten können, erleben die Kinder anhand der Geschichte von der kleinen Lotta. In Schuhkartonszenen entdecken sie Elemente ihres eigenen Alltags wieder. Diese Entdeckungen werden mit einer kurzen Erzählsequenz ergänzt und mit einem passenden Kinder-Gebet abgeschlossen. Alle Gebete dürfen die Kinder später als Gebets-Leporello mit nach Hause nehmen. Damit werden zugleich die Eltern in der religiösen Erziehung ihrer Kinder unterstützt und erhalten eine Antwort auf die Frage: „Wann und was können wir mit unseren Kindern beten?“ In diesem Krümelgottesdienst bietet es sich auch an, das Vaterunser, das jedes Mal gebetet wird, intensiver zu thematisieren, beispielsweise indem man die Bewegungen noch einmal einübt.
Materialaufwand:	mittel
Vorbereitung:	hoher Aufwand
Aufgaben:	je 1 Person für Musik, Liturgie, Geschichte und Aktion
Material Geschichte:	5 Tücher (blickdicht, zum Abdecken der Schuhkartons); 5 (Playmobil-)Figuren (Lotta, Lottas Mama, Lottas Papa und Lottas Tante mit Baby), alternativ andere kleine Püppchen; 5 Schuhkartons; 1 Küchenzeile mit Esstisch und 2 Stühlen; 1 Teppich; 1 Wiege; 2 Telefone; 2 Kinderbetten; 2 Stühle; 1 Sofa mit Wolldecke; 1 Teekanne und -tasse (hier eignet sich z. B. Puppenstuben- oder Playmobilzubehör. Ein Beispiel dafür, wie die Räume am Ende aussehen können, findet sich in den Downloads.); Klebeknete oder Klebepads
Material Aktion:	1 zugeschnittenes Gebets-Leporello je Kind (Druckvorlage und Bastelbeispiel s. Downloads), Scheren, Buntstifte, Basteltische, 1 fertig gebasteltes Gebets-Leporello
Material Mitgebsel:	Das Mitgebsel ist das Gebets-Leporello, das in der Aktion gebastelt wird (Druckvorlage und Bastelbeispiel s. Downloads).
Thematisches Lied:	Lasst uns miteinander (Kommt und Singt, Nr. 584)

Vorbereitung

- Zeitlich am intensivsten ist sicher die Vorbereitung der fünf Szenen mit (Playmobil-) Figuren in den fünf Schuhkartons. Die Ausgestaltung eines Kartons sollte nicht zu detailliert sein, sonst lenkt das zu sehr ab. Möglich ist eine Aufteilung der Szenen und damit auch der Kartons auf verschiedene Mitarbeitende. Dadurch ist auch der Vorbereitungsaufwand für jede einzelne Person überschaubar. Folgende Schuhkarton-Szenen müssen gestaltet werden:
    - » 1. Essen: 1 Küchenzeile mit Esstisch und 2 Stühlen
    - » 2. Freude/Dank: Zweigeteilter Karton. In der einen Hälfte ist ein Beistelltisch und ein Teppich. Hier stehen dann später Lotta und ihre Mama. In der anderen Hälfte ist eine Frau mit einer Wiege und einem Baby. Beide Frauen telefonieren miteinander, deshalb 2 Telefone).
    - » 3. Abend: Kinderzimmer, Kinderbett und Stuhl daneben.
    - » 4. Angst: Dasselbe Kinderzimmer, nur dunkel und schattig (z. B. mit dunkler Farbe bemalt, sodass der Eindruck von Dunkelheit entsteht). Kinderbett und Stuhl daneben.
    - » 5. Kranksein: Wohnzimmer, Sofa mit Wolldecke. Teekanne und -tasse.
    - » **Tipp:** Alle Gegenstände und Figuren, die nicht den Karton wechseln, können im Karton fixiert werden. Dazu eignet sich so etwas wie Klebeknete oder Klebepads. Dann fällt durch Herumtragen oder Hin- und Herschieben im Karton nichts um.
- Wird die Druckvorlage für das Gebets-Leporello direkt übernommen, fällt hier nicht viel Arbeit an. Sollten aber die Gebete noch geändert oder durch andere ersetzt werden, schlägt sich das natürlich in der Vorbereitungszeit nieder. Für ein Gebets-Leporello sind acht Seiten zu gestalten: Eine Seite ist das Deckblatt, eine weitere die Rückseite. Verbleiben noch sechs weitere Seiten für Gebete. Davon sind fünf Gebete aus der Geschichte, das sechste Gebet ist das Vaterunser. Hier kann jedoch auch eine schöne Liedstrophe oder auch ein anderes Gebet zum Einsatz kommen.
- Bei Bedarf müssen die Basteltische aufgebaut werden, außerdem muss das Material für die Aktion bereitgestellt werden.
- Die Schuhkartons werden abgedeckt im vorderen Bereich beim Altar bereitgestellt.
- Für die Vorbereitungszeit vor der Krümelphase des Gottesdienstes sind 30 Minuten zu empfehlen.

Gottesdienstablauf

Klangschale und Begrüßung: „Herzlich willkommen euch allen zu unserem Krümelgottesdienst mit dem Thema ‚Mit Gott sprechen wie mit einem Freund.' Geht das denn: mit Gott sprechen wie mit einem guten Kumpel oder einer Freundin / einem Freund? Ihm alles sagen, ob ihr sauer seid oder traurig oder fröhlich? Davon erfahrt ihr heute in unserer Geschichte. Zu Beginn hören wir gemeinsam auf die Musik."

Musik und Eingangswort: „Wir feiern Gottesdienst und mit uns feiert Gott, der Vater (erste Kerze anzünden) und der Sohn (zweite Kerze anzünden) und der Heilige Geist (dritte Kerze anzünden). Amen."

Begrüßungslied: Siehe Abschnitt „Begrüßungslieder".

Gebet mit Bewegungen: Siehe Abschnitt „Gebet mit Bewegungen".

Lied mit Bewegungen: Siehe Abschnitt „Lied zwischen Gebet und Geschichte".

Geschichte: Vor den Kindern stehen auf einem Kindertisch (alternativ: auf der Bühne, wenn eine vorhanden ist) fünf mit Tüchern abgedeckte Schuhkartons, in denen jeweils eine Szene zu sehen ist, in der gebetet wird (s. Abschnitt „Vorbereitung"). Dann kann die Erzählung beginnen.

„Ihr seht, hier vorn ist einiges aufgebaut. Lasst euch überraschen, was sich unter den Tüchern befindet. Doch jetzt zu unserer Geschichte. Das hier ist Lotta. (Lotta-Figur hochhalten und allen zeigen.) Das ist ihre Mama. (Figur von Lottas Mama zeigen.) Und das ist Lottas Papa. (Figur von Lottas Papa zeigen.) Sie alle kommen heute in der Geschichte vor.

(Schuhkarton 1 enthüllen: Szene = Essen. Lottas Mama an den Herd stellen.) Gerade ist Lotta aufgewacht. Sie hört, dass ihre Mama in der Küche arbeitet. Schnell läuft sie zu ihr. (Lotta zur Mama stellen.) ‚Guten Morgen, Lotta!', ruft ihre Mama und nimmt sie in den Arm. ‚Wie schön, dich zu sehen. Hast du gut geschlafen?' Und Lotta strahlt: ‚Ja, Mama. Aber jetzt knurrt mein Magen ganz fürchterlich. Ich hab solchen Hunger.' (Beide Figuren an den Esstisch setzen.) Die beiden setzen sich an den gedeckten Tisch. Sie halten sich an den Händen und beten:

‚Alle guten Gaben,
alles, was wir haben,
kommt, oh Gott, von dir.
Wir danken dir dafür!
Amen.'

(Lotta und Mama aus dem Schuhkarton herausnehmen. Schuhkarton 1 abdecken. Schuhkarton 2 enthüllen: Szene = Freude/Dank. Lottas Mama mit Telefon in Schuhkarton 2 in die leere Hälfte stellen, Lotta daneben.) Nach dem Essen klingelt das Telefon. Lottas Mutter nimmt den Hörer ab und hört zu. Plötzlich ruft sie: ‚Das ist ja wunderbar! Ich freu mich so!‘ Lotta wird ganz neugierig. Sie möchte unbedingt wissen, was los ist. Zum Glück legt ihre Mutter bald auf und sagt: ‚Stell dir nur vor: Das Baby von Tante Simone ist auf die Welt gekommen! Es heißt Ben.‘ Lotta hüpft vor lauter Freude durch die ganze Wohnung. Sie ruft: ‚Danke, danke, danke, ich freu mich so!‘ Und ihre Mutter sagt: ‚Danke, lieber Gott, dass wir dir wichtig sind. Wir freuen uns, dass wir leben dürfen! Wie gut, dass es liebe Menschen gibt, die zu uns gehören. Amen.‘

(Lotta und Mama wieder aus dem Schuhkarton herausnehmen. Schuhkarton 2 abdecken. Schuhkarton 3 enthüllen: Szene = Abend.) Am Abend ist Lotta ganz müde. Sie legt sich ins Bett. (Lotta ins Bett legen.) Und ihre Mama deckt sie liebevoll zu. (Lottas Mama daneben setzen.) Sie liest Lotta eine Gute-Nacht-Geschichte vor, macht das Licht aus, singt mit ihr noch ein Lied und betet:

‚Lieber Gott,
ich schlaf bald ein.
Bitte lass mich nicht allein.
Bleib bei mir in dieser Nacht
und gib sehr gut auf mich Acht.
Amen.‘

(Lotta und Mama wieder aus dem Schuhkarton herausnehmen. Schuhkarton 3 abdecken. Schuhkarton 4 enthüllen: Szene = Angst. Lotta ins Bett legen.) Mitten in der Nacht wacht Lotta auf. Was für ein blöder Traum! Lotta hat Angst bekommen. Sie ruft ganz laut nach ihrem Papa. (Lotta aufrecht ins Bett setzen. Lottas Papa kommt dazu.) Und ihr Papa kommt sofort, nimmt sie in den Arm und tröstet sie. ‚Keine Angst‘, sagt er. ‚Du bist nicht allein.‘ Und damit Lotta wieder gut einschlafen kann, beten Papa und Lotta:

‚Wo ich gehe, wo ich stehe,
bist du, lieber Gott, bei mir.
Wenn ich dich auch gar nicht sehe,
weiß ich trotzdem, du bist hier.
Amen.‘

(Lotta und Lottas Mama aus dem Schuhkarton herausnehmen. Schuhkarton 4 abdecken. Schuhkarton 5 enthüllen: Szene = Kranksein. Lottas Mama ins Wohnzimmer stellen, Lotta daneben.) Als Lotta morgens aufwacht, merkt sie schon: Der Hals tut weh. Und der Kopf fühlt sich ganz heiß an. ‚Ich bin krank, Mama!‘, sagt sie und legt sich aufs Sofa (Lotta aufs Sofa legen.) Und Mama kocht Lottas Lieblingstee, sie schaut immer wieder nach Lotta und spielt mit ihr. (Lottas Mama zu Lotta stellen, mit Tasse in der Hand.) ‚Meinst du, Gott kann mich gesundmachen?‘, fragt Lotta irgendwann. Und Mama antwortet: ‚Wir können ihn auf jeden Fall darum bitten!‘ Und so beten die beiden: ‚Bitte, lieber Gott, lass mich nicht allein, wenn ich krank bin. Hilf mir, dass es mir wieder besser geht und dass ich bald wieder gesund werde. Amen.‘ (Schuhkarton 5 abdecken.)“

Thematisches Lied: Lasst uns miteinander (Kommt und Singt, Nr. 584).

Aktion – Gebets-Leporello basteln: Die Kinder falten mit ihren Eltern ein Gebets-Leporello (Druckvorlage s. Downloads) nach Anleitung. Größere Kinder schaffen das durchaus schon allein. Sobald das Leporello fertig ist, kann es mit dem eigenen Namen beschriftet und angemalt werden. Dieses Leporello dürfen die Kinder dann auch mit nach Hause nehmen.

Der Übergang zwischen Basteln und Vaterunser kann hier noch einmal in der Wiederholung des thematischen Liedes bestehen, da dieses Lied sehr kurzweilig ist.

Thematisches Lied: Lasst uns miteinander (Kommt und Singt, Nr. 584).

Vaterunser mit Bewegungen: Siehe Abschnitt „Vaterunser mit Bewegungen".

Segen mit Bewegungen: Siehe Abschnitt „Segen".

Abkündigungen: Nach dem Segen wird auf den nächsten Termin der Krümelkirche hingewiesen – und natürlich bei Bedarf auf weitere Angebote der Gemeinde, die das gesamte Gemeindeleben und besonders Familien mit Kindern betreffen. Außerdem wird abgekündigt, dass wie in jedem Krümelgottesdienst der Einleger im Liedblatt mit nach Hause genommen werden darf und am Ausgang Flyer mit den Krümelterminen ausliegen.

Mitgebsel: Das Mitgebsel ist das selbstgebastelte Gebets-Leporello aus der Aktion.

Segenslied mit Bewegungen: Siehe Abschnitt „Segenslieder".

Musik zum Abschluss

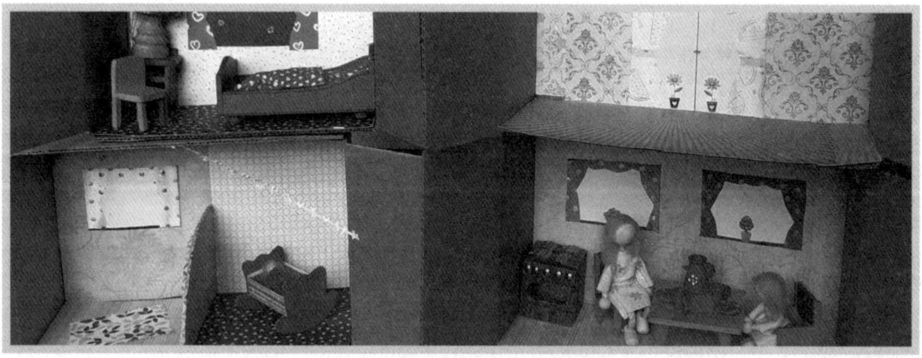

Impuls für die Erwachsenen

Mit Kindern beten

Als seine Freunde Jesus fragen: „Wie sollen wir beten?“, da macht der ihnen deutlich: das Gebet ist etwas ganz Persönliches. Alle dürfen sagen, was sie beschäftigt. Wir müssen aber keine Sorge haben, dass wir etwas Wichtiges vergessen könnten. Denn Gott weiß schon längst, bevor wir anfangen zu reden, was uns auf dem Herzen liegt. Alle dürfen mit eigenen Worten und auf eigene Weise mit Gott sprechen – so wie ein Kind mit seinem Vater spricht. Und so können wir auch mit Kindern ganz ungezwungen beten. Wir können mit ihnen gemeinsam Gott erzählen, was wir erlebt haben, was uns traurig macht oder fröhlich, worauf wir hoffen und worum wir bitten. Manchmal kann ein einfaches „Danke“ ein Gebet sein, wenn wir es Gott zurufen nach einer überstandenen Gefahr.

Wer sich lieber an Gebete halten möchte, die andere formuliert haben, kann auf Bücher mit Kindergebeten oder Gebetswürfel zurückgreifen. Und ein Gebet, das alle Christen miteinander verbindet – Kinder und Erwachsene, Einheimische und Zugezogene, Evangelische und Katholische, Kranke und Gesunde – ist das Vaterunser. Jesus selbst legt es uns ans Herz. Es mag schon stimmen: Kinder werden nicht gleich jeden Satz genau verstehen. Aber müssen sie das? Tun wir das als Erwachsene überhaupt? Aber sie werden sich nach und nach dem Alter entsprechend mit diesen Worten auseinandersetzen und sie zu ihrem eigenen Gebet machen können. Wie wertvoll, wenn wir sie dabei begleiten.

HÖRST DU DIE GLOCKEN?

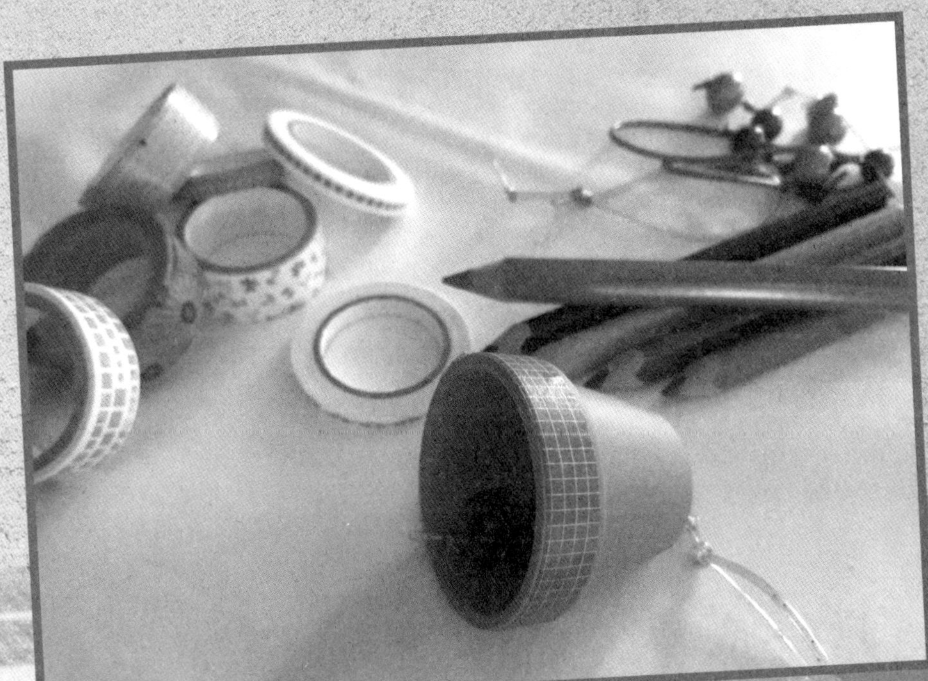

HÖRST DU DIE GLOCKEN?

Überblick

Bibelstelle: In der Erzählung steht keine spezifische Bibelstelle im Zentrum. Zur Thematik passt der Bibeltext aus Matthäus 11,15 sehr gut.

Kurzbeschreibung: In diesem Gottesdienst entdecken Kinder, wo Glocken in ihrem Alltag eine Rolle spielen. Mit dem kleinen Tim aus der Geschichte gehen sie auf Entdeckungsreise und erfahren, dass es verschiedene Glocken gibt und verschiedene Anlässe, zu denen sie läuten. In Bildern aber auch in Klängen bietet dieses Thema ein Erlebnis für viele Sinne. Das kann dadurch vertieft werden, dass es bei diesem Krümelgottesdienst zu Beginn ein volles Gottesdienstgeläut gibt und am Ende eine Besteigung des Glockenturms, sofern möglich. Dabei kommen dann auch die größeren Kinder auf ihre Kosten.

Materialaufwand: mittel

Vorbereitung: hoher Aufwand

Aufgaben: je 1 Person für Musik, Liturgie, Gesprächsimpuls und Aktion; 3 Personen für die Geschichte (1 Erzählerin / Erzähler; 2 Mitarbeitende, die die Glocken läuten)

Material Geschichte: 4 verschieden große Glocken (und damit verschiedene Glockentöne für Taufe, Beerdigung, Uhrzeit und Gebet); DIN-A3-Ausdrucke der Bilder aus dem Downloadbereich; 1 großer, alter Wandkalender mit weißen Rückseiten, alternativ festes DIN-A3-Papier

Material Aktion 1: 1 kleiner Tontopf je Kind (Durchmesser ca. 4 cm); je Glocke ein Halteband (oder Paketschnur) und 3 Perlen (Durchmesser 1 cm bzw. so, dass die Perlen nicht durch die Öffnung des Tontopfes passen), alternativ 1 Perle und 2 Holzstücke; Paketschnur; Scheren; Buntstifte; verschiedene Washi-Tapes; Basteltische

Material Aktion 2: Erlaubnis, eine Turmbesteigung durchführen zu dürfen; Schlüssel für den Kirchturm

Material Mitgebsel: Das Mitgebsel ist die Glocke, die in der Aktion gebastelt wird.

Thematisches Lied: Hörst du die Glocken (Liederbuch für die Jugend, Nr. 395)

Vorbereitung

- Dieser Gottesdienst bietet Gelegenheit für einen Ortswechsel und findet im Idealfall im Freien vor der Kirche oder im Vorraum der Kirche statt, weil dort die Kirchenglocken sehr gut zu hören sind. Das bedeutet für den Aufbau von Altar, Sitzgelegenheiten und Musik einen gewissen Mehraufwand.
- Für die Geschichte muss vorab der Erzählkalender gebastelt werden: Aus einem alten, großen Wandkalender mit Ringbindung werden auf die weißen Rückseiten der Kalenderblätter die Bilder der Geschichte (s. Downloads) geklebt. Beim Erzählen können die Bilder ganz praktisch Seite für Seite umgeblättert werden. Einfache Alternative dazu: große Bilder auf festes Papier drucken oder aufkleben. Diese auf dem Schoß während der Erzählung nach und nach abblättern.
- Auch die Vorbereitung der Ton-Glöckchen benötigt im Vorfeld etwas mehr Zeit. Es empfiehlt sich, die Glocke im Krümelgottesdienst bereits mit angebrachter Paketschnur auszugeben.
  Tipp für die Aufhängung: Am Halteband (bzw. an der Schnur) dient eine Perle als Klöppel. Eine weitere Perle wird in passendem Abstand zum Klöppel innen oben am Band verknotet (damit der Klöppel nicht nach oben rutscht und dadurch keinen Ton mehr erzeugen kann). Dann wird das Band durch die Öffnung nach außen gezogen und eine dritte Perle wird am Band von oben möglichst nah an der Öffnung verknotet, so dass das Halteband nicht in die Glocke zurückrutschen kann. Alternativ kann für die letzten beiden Perlen jeweils ein 1 cm langes Holzstück – z. B. ein Stück von einem dünnen Ast oder einem Streichholz – genommen werden.
- Bei Bedarf müssen die Basteltische aufgebaut werden, außerdem muss das Material für die Aktion bereitgestellt werden.
- Für das Angebot der Kirchturmbesteigung nach dem Gottesdienst muss vorab geklärt werden, ob der Kirchturm bestiegen werden kann und wer einen Schlüssel dafür hat.
- Das Team sollte 60 Minuten vor Gottesdienstbeginn vor Ort sein.

Gottesdienstablauf

Klangschale und Begrüßung: „Herzlich willkommen euch allen zu unserem Krümelgottesdienst mit dem Thema ‚Hörst du die Glocken?' Und genau deshalb haben wir uns dieses Mal zu Beginn vor der Kirche versammelt, dass wir die Glocken besonders gut hören, die gleich für unseren Gottesdienst läuten werden. Spitzt mal eure Ohren, gleich geht's los."

Glockenläuten und Musik: Nach dem Glockenläuten beginnt gleich die Musik zum Anfang des Gottesdienstes.

Eingangswort: „Wir feiern Gottesdienst und mit uns feiert Gott, der Vater (erste Kerze anzünden) und der Sohn (zweite Kerze anzünden) und der Heilige Geist (dritte Kerze anzünden). Amen."

Begrüßungslied: Siehe Abschnitt „Begrüßungslieder".

Gebet mit Bewegungen: Siehe Abschnitt „Gebet mit Bewegungen".

Lied mit Bewegungen: Siehe Abschnitt „Lied zwischen Gebet und Geschichte".

Gesprächsimpuls: „Lasst uns mal zusammen überlegen, wo uns im Alltag Glocken begegnen. Welche Glocken kennt ihr denn?" (Die Kinder sammeln: Kirche, Fahrrad, Haustüre, Schule, Eiswagen, Nikolaus, Weihnachten ...Evtl. die Frage auch an die Erwachsenen richten. Ziel des Gesprächs: Glocken geben immer einen Hinweis auf etwas.)

Geschichte: „Und nun passt mal gut auf, was der kleine Tim in unserer Geschichte heute über Glocken erfährt!

(Bild 1 zeigen: Tim und seine Mama) Das hier ist Tim mit seiner Mama. Der Herbst hat begonnen und die beiden haben viel Spaß beim Toben im Park. Tim pflückt aus lauter bunten Blättern einen Blumenstrauß für seine Mama. Auf einmal hört er ganz aufmerksam in eine bestimmte Richtung. Er hört Glocken läuten.

(Mit allen vier Glocken gleichzeitig läuten; hierfür werden zwei Mitarbeitende benötigt.) Tim fragt seine Mutter: ‚Wer wird denn da getauft?' Die Mutter fragt erstaunt zurück: ‚Warum?' Tim sagt: ‚Ich höre die Glocken von der Kirche läuten. So wie am Sonntag, als wir bei der Taufe von Lea waren!' Lea ist Tims neue kleine Cousine. Und die wurde am letzten Sonntag getauft. Und da waren auch die Glocken zu hören. ‚Ach so!', sagt die Mutter. ‚Dich erinnert das Glockenläuten an Leas Taufe?' Tim nickt.

(Bild 2 zeigen: Taufe) ‚Weißt du, Tim, bei der Taufe hat man eine ganz besondere Glocke gehört, die Taufglocke.

(Die „Taufglocke" wird geläutet.) In einer Kirche gibt es viele Glocken. Mal läutet die eine, mal die andere – und mal alle zusammen.' ‚Und wann läutet welche Glocke?', fragt Tim ganz neugierig. ‚Naja', sagt Tims Mutter, ‚da gibt es eine ganz klare Ordnung, wann welche Glocke läuten darf. Und wann alle zusammen ganz laut läuten dürfen. Das ist ganz streng geregelt.' ‚Aber wenn das jetzt keine Taufe ist, was dann?', fragt Tim weiter.

(Bild 3 zeigen: Hochzeit) Tims Mutter überlegt kurz und schaut auf die Uhr. ‚Nun, ich denke, das könnte jetzt eine Hochzeit sein in der Kirche. Samstagnachmittag, und so schönes Läuten. Das ist immer was ganz Besonderes, wenn das Brautpaar so ein volles Geläut hat und dann zur festlichen Musik in die Kirche einzieht.' ‚Das ist schön!', ruft Tim. ‚Bei meiner Hochzeit sollen auch mal alle Glocken läuten!'

(Mit allen vier Glocken gleichzeitig läuten; hierfür werden zwei Mitarbeitende benötigt.) ‚Und wann läuten die Glocken noch?', fragt er neugierig weiter.

(Bild 4 zeigen: Beerdigung/Friedhof) ‚Es gibt auch traurige Anlässe.', erzählt die Mutter und wird ganz ernst. ‚Bei einer Beerdigung, wenn jemand gestorben ist. Da hört man auch auf dem Friedhof oft eine ganz besondere, einzelne Glocke.' („Friedhofsglocke" läuten) Tim und seine Mutter laufen weiter durch den Park. Er findet das ganz spannend, was ihm seine Mutter heute alles erzählt. ‚Komm!', ruft er plötzlich, ‚lass uns mal zur Kirche laufen!' Vor dem Gebäude angekommen, staunt Tim nicht schlecht. ‚Boah!', sagt er laut, als er den Kirchturm hinaufschaut. ‚So hoch ist der Turm!' Da entdeckt er die Uhr ganz oben am Glockenturm.

(Bild 5 zeigen: Kirchturmuhr) ‚Da, Mama, schau mal, da ist ja eine riesige Uhr!' Und genau in diesem Moment ertönt ein Glockenschlag. („Uhrzeitglocke" läuten) ‚Hast du's gehört, Tim? Das war jetzt nur ein kurzer Glockenton. Das macht die Kirchturmuhr. Zu jeder viertel, halben, dreiviertel und vollen Stunde. Da läutet eine Glocke, um uns die Zeit anzugeben. Und zur vollen Stunde kann man die Schläge mitzählen und weiß dann nur übers Hören, was die Stunde geschlagen hat!' (Noch einmal die „Uhrzeitglocke" läuten) Dann erzählt Tims Mutter weiter: ‚Früher hat man immer gesagt, die Glocken rufen zum Gebet.

(Bild 6 zeigen: Betende Hände; „Gebetsglocke" läuten) Da haben die Glocken den Menschen gesagt, dass sie aufhören sollen mit ihrer Arbeit und beten sollen. Aber heute weiß das kaum noch jemand. Aber wenn man ein Kloster besucht, da gibt es noch diese Stundengebete – und da läutet auch jedes Mal eine Glocke.' ‚Wir haben doch noch so eine Gebetsglocke!', grinst Tim, er hat nämlich einen tollen Einfall. ‚Welche denn?', fragt die Mutter. ‚Na, beim Vaterunser! Das ist doch ein Gebet. Und da läutet doch auch immer eine Glocke, wenn wir das in der Kirche sprechen.' ‚Mensch, Tim, gut, dass du mich daran erinnert hast! Klar! Das hätte ich fast vergessen!' (Noch einmal „Gebetsglocke" läuten) ‚Und ich weiß noch, wann die Glocken läuten!', ruft Tim. Er hüpft begeistert von einem Bein aufs andere. ‚Rate mal!' Tims Mutter fällt nichts mehr ein. Sie zuckt ratlos die Schultern. ‚Na, sonntags! Bevor die Kirche beginnt! Wenn wir da in die Kirche laufen, ist es doch immer so laut und man muss so laut reden, damit man sich versteht.'

(Mit allen Glocken gleichzeitig läuten; Bild 7 zeigen: Gottesdienstgemeinde) ‚Ja, Tim, du hast Recht!', antwortet die Mutter überrascht. ‚Da läuten nämlich ganz viele Glocken, deshalb ist es so laut. Ich glaube, das ist deshalb so laut, weil es auch wirklich alle hören sollen. Mit diesem vollen und lauten Läuten soll die Gemeinde zum Gottesdienst zusammengerufen werden.' (Noch einmal mit allen Glocken gleichzeitig läuten) Tim ist begeistert von den Entdeckungen an diesem Tag. Seine Mutter nimmt ihn bei der Hand und sagt: ‚Komm, lass uns nach Hause gehen! Ich hab da eine Idee.' ‚Was denn für eine Idee?', fragt Tim. Und seine Mutter antwortet: ‚Wir basteln uns jetzt eine eigene Glocke!'"

Aktion 1 – Basteln: „Und genau das wollen wir jetzt auch mit euch zusammen machen: eine eigene, kleine Glocke basteln. Schaut mal, wir haben hier so kleine Tontöpfe. Da ist schon eine Aufhängung angebracht – und eine kleine Holzperle in der Mitte innen drin erzeugt den Glockenton, sobald ihr die Glocke außen ein wenig hin und her bewegt (kurz zeigen und das Glöckchen läuten). Jede und jeder von euch darf sich jetzt bei uns eine Glocke abholen. An den Basteltischen könnt ihr diese dann anmalen oder mit bunten Klebebändern verzieren. Aber aufgepasst: Ihr müsst ganz vorsichtig sein mit den Glocken. Sie gehen kaputt, wenn sie euch runterfallen."

Thematisches Lied: Hörst du die Glocken (Liederbuch für die Jugend, Nr. 395). Das Lied wird mit Einsatz der gebastelten Glöckchen gesungen.

Vaterunser mit Bewegungen: Siehe Abschnitt „Vaterunser mit Bewegungen".

Segen mit Bewegungen: Siehe Abschnitt „Segen".

Abkündigungen: Nach dem Segen wird auf den nächsten Termin der Krümelkirche hingewiesen – und natürlich bei Bedarf auf weitere Angebote der Gemeinde, die das gesamte Gemeindeleben und besonders Familien mit Kindern betreffen. Außerdem wird abgekündigt, dass wie in jedem Krümelgottesdienst der Einleger im Liedblatt mit nach Hause genommen werden darf und am Ausgang Flyer mit den Krümelterminen ausliegen.

Mitgebsel: Das Mitgebsel ist die selbstgebastelte Glocke aus der Bastel-Aktion.

Segenslied mit Bewegungen: Siehe Abschnitt „Segenslieder".

Aktion 2 – Turmbesteigung: „Wir wollen jetzt alle interessierten Kinder zusammen mit einem Elternteil einladen, mit uns auf den Kirchturm zu gehen. Dort seht ihr dann unsere Glocken ganz aus der Nähe."

Musik zum Abschluss

Impuls für die Erwachsenen

„Hörst du die Glocken?“

In einem Kinderlied, das wir auch in der Krümelkirche singen, wird dieser Frage nachgegangen. Und tatsächlich – wenn wir mit offenen Ohren durch unseren Alltag gehen, dann begegnen uns Glocken oder ähnliche Klänge täglich: am Fahrrad oder an der Haustüre, an Weihnachten oder am Nikolaustag, in der Schule oder in der Fabrik, beim Eiswagen und im Bundestag, in der Schule und natürlich in der Kirche. Unsere Kirchenglocken werden manchmal nur mit einem Klöppel angeschlagen: Wir hören einzelne Töne und können an deren Anzahl genau erkennen, welche volle Stunde erreicht ist, oder ob seit der vollen Stunde 15, 30 oder 45 Minuten vergangen sind. In Zeiten ohne Handy haben die Menschen sich bei der Arbeit oder für die Gebetszeiten an den Glockenschlägen der Kirchturmuhr orientiert.

Besonders schön klingen die Glocken aber, wenn sie in Schwingung versetzt werden und zu jedem Gottesdienst richtig läuten dürfen. Sonntagvormittags sind daher hierzulande überall die unterschiedlichsten Glocken zu hören. Und auch an den wichtigen Stationen unseres Lebens begleiten uns Glocken im Gottesdienst: Wir freuen uns mit, wenn ein Kind getauft oder ein Paar getraut wird. Wir trauern mit, wenn jemand gestorben ist. Und jedes Mal, wenn wir das Vaterunser gemeinsam sprechen oder Krümelkirche feiern, kann das jede/jeder an den Glocken hören.

ANHANG

GEDANKEN FÜR MEINEN EIGENEN KRÜMELGOTTESDIENST

DIE AUTORINNEN

Rosemarie Ilg, geboren 1971, wohnt gemeinsam mit ihrem Mann und den vier Kindern in Sindelfingen – Kekse und Krümel gehören zu ihrem Alltag. Sie ist Pfarrerin und Diplom-Psychologin, als Ehrenamtliche ist sie seit Beginn der Krümelkirche im Leitungsteam dabei. Schon seit ihrer Jugend ist sie engagiert in der Kinder- und Jugendarbeit unterwegs (Jungschar, Kinderkirche, Jugendkreis und Waldheimarbeit) und wird gern kreativ in Geschichten, Basteleien oder auch Spielideen. Seit 2019 unterrichtet sie Religion im sonderpädagogischen Bereich und profitiert dabei sehr von den zahlreichen Ideen aus den Krümelgottesdiensten.

Kathrin Lichtenberger, geboren 1975, ist seit 2011 Pfarrerin der Christuskirchengemeinde Sindelfingen und hat gemeinsam mit Ehrenamtlichen die Krümelkirche ins Leben gerufen. Als Pfarrerin z. A. und danach als Landesausschussmitglied hatte sie beim Württembergischen Landesverband für Kindergottesdienst die Möglichkeit, ihre Erfahrungen im Bereich Gottesdienste mit Kindern zu vertiefen. Seit 2019 ist sie Schriftleiterin der Zeitschrift „Für Dich“. Sie ist überzeugt davon, dass jede Gemeinde Gottesdienste mit Kindern anbieten sollte, und hat Freude daran, biblische Texte und liturgische Elemente so zu gestalten, dass schon die Kleinsten mitfeiern können.

DAS KRÜMELTEAM

Ein besonderer Dank gilt **Annelie Hasslinger** (links) und **Susanne Weber** (rechts), die unser Sindelfinger Krümelteam komplettieren. Gemeinsam haben wir mit Begeisterung alle Gottesdienste vorbereitet und dabei viel diskutiert und gelacht, durchdacht und entwickelt, gewerkelt und gebastelt und vieles mehr! Die Beiträge der beiden sind an einigen Stellen eingeflossen, ohne dieses Team wäre auch unser Krümelkirche-Buch nicht entstanden!

Die Bibel von Anfang an

Eine Bibel, deren Sprache und Gliederung sich besonders zum Vorlesen eignet und bereits Kinder im Vorschulalter fasziniert.

Die 32 Geschichten stellen jeweils eine biblische Person in den Mittelpunkt und werden durch ein großformatiges, farbenfrohes Bild von Kees de Kort bereichert.

Irmgard Weth
Neukirchener Vorlesebibel
Mit Bildern von Kees de Kort

gebunden, 68 farbige Bilder von Kees de Kort, davon 32 Panorama-Bilder, 144 Seiten, ISBN 978-3-9205-2457-3

---

neukirchener

buch+ musik

Joy Katzmarzik | leap4joy

pics4kids

550 Illustrationen für die Praxis rund um Bibel, Glaube und Kinder

CD-ROM in DigiPak mit Booklet

Die fröhlichen und kindgerechten Zeichnungen können vielfältig im nicht-kommerziellen Bereich und in der Schule eingesetzt werden, denn sie decken ein typisches Themenspektrum der Arbeit mit Kindern ab. Zur Suche sind die Illustrationen nach Themen sortiert und verschlagwortet.

Peter Dietrich, Maurice Meschonat

Feste aus der Vogelperspektive

14 außergewöhnliche Flüge durch das Jahr

DVD in Video-Box mit 84-seitigem Begleitheft, durchgehend farbig

Advent, Weihnachten, Lichtmess, Ostern, Himmelfahrt, Pfingsten, Erntedank und Ewigkeitssonntag – lebendige Dialoge bringen ganz elementare Themen des Glaubens als Film oder Puppenspiel in Gottesdienst, Gruppenstunde, Schule, Kindergarten oder das heimische Wohnzimmer.

Martina Liebendörfer

Eine Arche voller Reime

36 Geschichten in Versen und Spielszenen für Kinder bis 6 Jahre

96 Seiten, 16,5 x 23 cm, kartoniert

36 Geschichten für Kinder bis 6 Jahre. 18 Geschichten stammen aus der Bibel. 18 Geschichten erzählen vom Alltag der Kinder heute. Die Geschichten sind in Reimform geschrieben. Kombiniert mit Figuren, Symbolen und Gegenständen werden sie zu anschaulichen Tischpuppenspielen.

Christiane Fauth

Hallo, hereinspaziert!

12 Erlebnisgottesdienste für kleine Leute im Krabbel- und Kindergartenalter

176 Seiten, 16,5 x 23 cm, kartoniert, mit Downloads

Die Themen der 12 Erlebnisgottesdienste greifen die wichtigsten Feste des Kirchenjahres und für die Kinder interessante Themen auf. Jeder Gottesdienst folgt einem einfachen, aber bewährten Grundschema. Hier wird für Kinder bis 5 Jahren Glaube greifbar und biblische Geschichte erlebbar.

buch+ musik

ejw-service gmbh
Haeberlinstraße 1–3
70563 Stuttgart-Vaihingen

Tel.: 0711 9781 - 410
Fax: 0711 9781 - 413

buchhandlung@ejw-buch.de
www.ejw-buch.de

Sara Schmidt

Die Methodenbibel

begegnen + auseinandersetzen + übertragen

AT – VON SCHÖPFUNG BIS JOSUA

NT – GEBURT UND LEBEN JESU

Je 37 Bibeltexte – 111 Methoden für Kinder von 6 bis 12 Jahren

184/192 Seiten, 16,5 x 23 cm, gebunden, durchgehend farbig und illustriert, mit Downloads

Die 111 Methoden in jedem Band laden Kinder von 6 bis 12 Jahren ganzheitlich ein, je 37 biblischen Geschichten zu begegnen (Inhalt wahrnehmen und erfassen), sich mit der Geschichte auseinanderzusetzen (Bedeutung erschließen) und sie in ihr Leben zu übertragen (im Alltag umsetzen).

www.ejw-buch.de

Alexander und Wiebke Otto
mit Matthias Jungermann

Wenn im Wal die Puppen tanzen

24 Puppen-Theaterstücke zu Bibelgeschichten, Kirchenfesten und Themen für Kinder ab 6 Jahren

192 Seiten, 16,5 x 23 cm, kartoniert, durchgehend farbig und illustriert, mit Downloads

Diese Puppen-Theaterstücke erzählen Kindern von 6 bis 12 Jahren Geschichten und vermitteln Werte. Die Stücke sind ausformuliert, die Rollen farbig gekennzeichnet und Requisiten als Download verfügbar. Extra: Tipps und Tricks sowie eine Puppen-Bauanleitung von Profi „Radieschenfieber" Matthias Jungermann!

Martina Liebendörfer, Andreas Lorenz (Hg.)

Erzählen – Erleben – Gestalten

25 Bibelmitmachgeschichten mit Methode für Kinder bis 6 Jahren

160 Seiten, 16,5 x 23 cm, kartoniert

Mit diesen vorgestellten und auch praktisch umgesetzten Methoden wird das Erzählen für die bis 6-jährigen Kinder zu einem gemeinsamen Erleben und Gestalten der biblischen Geschichte. Mit den erlernten Methoden können auch viele weitere Geschichten erzählt werden.

Als Buch erhältlich Als E-Book erhältlich